KB088344

절벽에 뜬 달

下

절벽에 뜬 달
·현민예 지음·
下
R&Moon

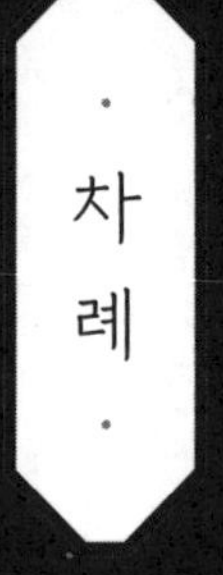
차례

7장 마지막 편지

가끔 이런 악몽을 꿨다.

환이 돌아오지 못하는 꿈이었다.

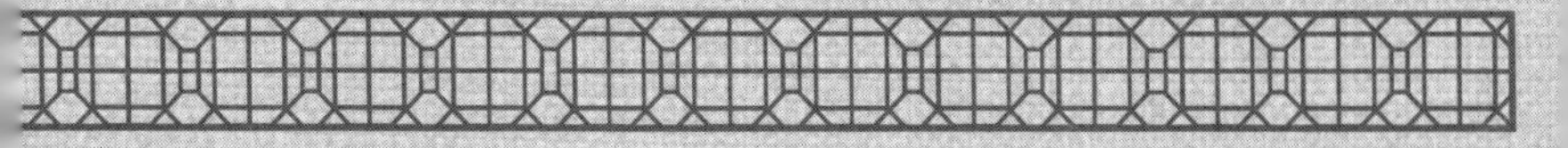

해가 바뀌었다. 나는 스물둘이 되었다.

봄에는 북쪽에서 좋은 소식이 들려왔다. 공녀로 갔던 사람들이 돌아온다 했다. 어느 사이 소문이 퍼져 사람들마다 후백의 왕이 무슨 마음의 변화가 생겨 호의적으로 돌아섰는지 말이 오갔다. 그러나 누구도 그 일을 환이 했다는 사실을 몰랐다. 조금도 억울한 마음이 없었다면 거짓이겠지만 그래도 좋았다. 아비의 기일 무렵이라 싱숭생숭하던 차에 모처럼 기쁜 소식이었다.

연나라의 황실이 곧 무너질 것이라는 풍문도 돌았다. 조정의 친연파들은 무엇이 그리 두려웠는지 가끔 사람을 붙여 내 뒤를 밟았다. 하지만 헛수고였다. 나는 그저 안유군의 집에 머무는 식객에 불과했다. 애초에 높은 나리들의 복잡한 문제에는 끼어들

깜냥도 못 되었다.

환이 떠나고 얼마 되지 않아 시전에서 일자리를 구했다. 장사를 해본 적은 없었지만 그리 어렵지 않게 적응했다. 아침에 나가 면직물을 나르고 가게 주인과 농을 주고받으며 손님을 받다 저녁 늦게 귀가했다. 종종 안유군은 피곤한 나를 불러 쓰잘머리 없는 이야기들로 괴롭혔다.

"형님이 원래는 멋있는 사람이었거든."

"원래는요?"

"그래. 네가 아는 그 한심하고 늘어진 모습이 전부가 아니라고. 그때 모습을 네가 봤어야 하는데."

안유군은 아무래도 지금의 환이 마음에 들지 않는지 이런 소리를 하곤 했다. 아무리 말해봤자 옛날의 환을 내가 볼 수 있는 방법도 없거니와 나는 내가 아는 환이 좋다.

"그땐 내가 형님을 정말 좋아했는데. 사람이 힘든 일을 겪으면 변하는 거라지만 참."

안유군은 그런 이야기를 한참이나 늘어놓았다. 그의 하찮은 향수 따위는 궁금하지 않았지만, 그 와중에 환의 근황을 넌지시 알려주었기에 참고 들었다.

환과 동행한 사람들은 모두 왕과 좌상의 사람들이라 안유군도 그의 자세한 소식을 듣기는 힘들다고 했다. 몇 다리를 건너 들은 바로는, 환은 후백과 무사히 협상을 마쳤고 올 여름이면 한성으로 돌아올 것이라 했다.

협상이 잘될수록 환이 위험하다던 말을 들어서일까. 불쑥불쑥 불길한 예감이 엄습하곤 했지만 다행히 내가 걱정하는 그런 소식은 아직까지 없었다. 어쩌면 그건 우리 두 사람의 기우였을지도 모른다.

"이안군 나리는 돌아오시면 어떻게 됩니까?"

"글쎄, 그걸 주상도 고민 중이겠지."

안유군이 자신 없는 투로 답했다. 환이 그렇게 경고하고 갔건만 안유군은 절대 내게 말을 높이지 않았다. 혼인한 사이도 아니니 그럴 이유가 하등 없다는 것이었는데, 아무래도 자기가 싫은 일은 절대 안 하는 성격인 모양이었다.

"너 시장 일은 재밌냐?"

"할 만합니다."

"슬슬 정리하지? 형님이 돌아오시면 내가 널 박대했다 여기시겠다."

"벌 수 있을 때 벌어야지요."

"돈은 내가 줄 수 있는데."

"됐습니다. 값도 안 치르고 숙식하고 있는데 이만하면 충분합니다."

안유군의 돈을 받으면 잠시는 좋을지도 모른다. 하지만 안유군의 집에서 지내는 것만으로도 나는 늘 살얼음판을 걷는 것 같았다. 가끔은 수상한 사람들이 저택을 감시하듯 돌아다녔고, 그의 집을 드나드는 사람들도 항시 비밀스러운 태도였다. 무언가 큰일을 칠 것만 같은 긴장감이 상시 흘렀다.

환과 이 소용돌이를 빠져나가려면 이들에게 기대서는 안 될 것 같다는 예감이 들었다. 그가 돌아오면 내가 번 돈으로 어디든 가서 정착할 생각이었다. 환이 마땅히 머물고 싶은 곳이 없다면, 당분간은 둘이서 떠돌아도 괜찮다. 그러다 마음에 드는 곳이 생기면 그때 자리를 잡으면 될 일이다. 혹 환이 다시 위리안치 된다면 그곳에서 쥐죽은 듯 살면 될 것이다.

"나랑 엮이고 싶지 않구나, 너."

안유군이 피식했다.

"하기야 나도 내 일에 엮이기 싫은데."

그가 씁쓸하게 중얼거렸다.

안유군에게는 미안했지만 나는 그 말을 부정하지 않았다. 환과 나는 아직 해보지 못한 일들이 많았다. 한 세상 잘 살았다는 생각이 들 때까지 그와 무탈히 살고 싶었다.

환이 돌아오면 이제 내가 그를 지켜줄 것이다. 환은 불도 제대로 못 붙이고, 벌레를 보기만 해도 겁을 낸다. 밭일은 물론이고 장사도 못할 양반이다. 수많은 사람을 구한 환이 이토록 무능하다는 건 나만이 아는 비밀이다.

"그럼 만약 형님이 못 돌아오시면 어떻게 할 거냐?"

안유군이 질문을 툭 던졌다. 남의 속 긁는 소리를 참 아무렇지도 않게 한다. 어떻게 자상한 환에게 이런 동생이 있는지 알다가도 모를 일이다.

"돌아오실 겁니다. 저랑 약조하셨는걸요. 오는 길에 해태도 발견하면 한 마리 데려오신다고 했습니다."

내 말이 뭐가 우스운지 안유군은 미친놈처럼 책상을 내리치며 웃었다. 사람이 진지하게 말하는데 면상에 대고 박장대소하니 이만저만 불쾌한 게 아니었다.

"그거, 뭐, 해태? 그거 키워서 뭐하게?"

댁부터 좀 물어뜯었으면 좋겠다는 말은 간신히 삼켰다.

기다림은 지루하고 길었다. 일을 하지 않았더라면 시간을 죽이기 퍽 힘들었을 것이다. 나는 몇 밤이 더 지나야 환이 올까 고민하다 잠이 들곤 했다.

그렇게 여름이 왔다.

여름이면 온다던 환은 좀처럼 소식이 없었다. 시전에서도 멍하니 있는 일이 많아져 가게 주인이 아픈 것 아니냐 걱정을 했다.

여름이 깊어질수록 시간은 느리게만 흘렀다.

환이 일러준 책은 이미 다 읽어버렸다. 어떤 책은 두 번, 세 번도 읽었다. 그런데도 그는 온다는 기별이 없고 날짜만 지났다.

마침내 내가 환의 소식을 들은 것은 무르익은 더위가 한성의 거리를 덮치던 시기였다.

평소와 다를 바 없이 저택으로 돌아왔는데, 대문을 들어서자마자 일꾼들이 나를 사랑채로 데려갔다. 안유군은 어쩐 일인지 해가 지기 전부터 취해 있었다. 사랑채에 가득 찬 독주의 향에 정신이 어질했다.

안유군이 나를 이런 모습으로 맞은 것은 처음이었다. 심장이 불길하게 뛰기 시작했다. 안유군의 뺨에는 눈물 자국이 선명했다.

아니다.

아닐 것이다.

불현듯 떠오른 무서운 예감을 억눌렀다.

"이야기를 어떻게 해야 할지……."

안유군은 그답지 않게 내 눈을 보지 못하고 말을 망설였다.

"형님께선 귀환하던 길에……."

"다치셨습니까? 많이 다치셨나요?"

나는 안유군의 말을 끊고 다짜고짜 물었다.

"아니."

"그럼 무슨 복잡한 일 때문에 귀환이 늦어지시는 거군요. 많이 늦어지십니까?"

"그게, 형님께선 오시던 길에……."

안유군의 입술이 파르르 떨렸다. 그는 다음 말을 쉽사리 잇지 못했고, 나는 그의 다음 말이 두려워 정신없이 말을 쏘아댔다.

"괜찮습니다. 전 한 해든, 두 해든 오신다는 기약만 있으면 기다릴 수 있습니다."

툭 하는 둔탁한 소리가 났다. 안유군이 놓친 술잔이 바닥에 떨어져 구르는 소리였다.

"돌아가셨다."

안유군의 말이 저 멀리 들렸다. 눈앞이 아득하게 흐려졌다. 사형 판결을 받은 죄수처럼, 나는 우두커니 허공만 응시했다.

이건 필시 안유군의 질 나쁜 농담일 것이다. 그래야만 했다.

"돌아가셨다고."

아니다. 환은 오기로 약조했다. 그렇게 쉽게 약속을 깨뜨릴 사람이 아니다.

환은 내게 살고 싶다 했는데.

이렇게 쉽게 죽을 리가 없다.

"지금 무슨 말씀을……."

"이미 두 달쯤 전 일이란다. 오늘 유류품과 함께 소식을 받았다."

"두 달 전이라니요?"

"그래, 이미……."

안유군의 눈에서 눈물이 뚝뚝 떨어졌다. 나는 어쩐지 이 모든 게 꿈만 같아서 눈물이 나오지 않았다.

안유군은 나를 위로하고 싶은지, 아니면 내게 위로를 얻고 싶은지, 비적비적 일어나 내 어깨를 짚었다. 그는 손에 쥐고 있던 것을 내게 건넸다.

내가 환의 손목에 엮어주었던 팔찌였다. 끊어진 팔찌는 말라붙은 핏자국 때문에 제 색깔이 남아 있는 부분을 찾기가 힘들었다.

"네가 받아라. 어차피 부모님도 돌아가시고 형제들은 모두 반목해 제대로 된 가족이라고는 없는 분이었다."

안유군의 말이 귓가에 웅웅 울렸다. 나는 팔찌를 꽉 쥐었다.

"거짓이지요?"

"나도 그렇게 믿고 싶다."

"이건 말도 안 됩니다."

가끔 이런 악몽을 꿨다. 환이 돌아오지 못하는 꿈이었다. 깨고 나서야 꿈인 것을 알아채고 안도하곤 했다. 그러니 지금도 이 악몽에서 깨어나면 되는 것이다.

하지만 아무리 애를 써도 눈앞의 악몽은 사라지지 않았다. 나는 깨어날 수 없는 현실에 꽁꽁 갇혀 있었다.

"왜요?"

"아직 자세한 연유는 모르지만 습격을 당했다고 하더구나. 그 일행이 모두 죽었어."

숨이 막힌다. 손끝에 감각이 없다. 안유군의 말이 머릿속을 빙글빙글 돈다.

"못 믿겠습니다."

나는 세차게 도리질을 쳤다.

"제 눈으로 보기 전에는 못 믿겠다고요. 지금은 어디 계십니까?"

"지금은 국경 북쪽……. 한성까지 운구하지는 못할 거다. 이미 두 달이 넘어 부패했을 테고……. 원래 폐주는 묻히는 곳조차 모르기도 한다. 북방 어딘가 아무도 모르는 곳에서 처리하라는 어명이 떨어진 모양이다."

"그럼 제가 가서 확인을 해야겠습니다."

참 바보 같다. 무엇을 확인하겠다는 것일까. 확인해서 뭘 어쩌겠다는 것일까.

"안 된다."

"어째서 안 됩니까?"

"너 시신이 두 달 동안 부패되면 어찌 되는지 아니?"

안유군의 말이 잔인하게 가슴을 후벼팠다. 지금 달려가봐야 내가 사랑했던 환의 모습은 흔적도 없을 것이다.

"그런 모습을 보느니 차라리 네 기억을 온전히 갖고 가는 게 나을 거다."

나는 고집스레 고개를 저었다.

"아뇨. 가서 확인해야 합니다. 나리께서 돌아가셨을 리가 없으니까요."

"대체 몇 번을 말해! 형님께선 이제 돌아오시지 못해!"

안유군이 벌컥 소리를 질렀다. 붉어진 눈가가 잘게 경련했다.

그는 거칠게 숨을 쉬다 이내 아랫입술을 질끈 물었다.

"미안하다. 네게 화를 내려던 건……."

"어쨌거나……."

현기증이 나서 벽을 짚었다.

"나리께서 오시는데 마중은 나가야지요. 안 가면 서운해하실 겁니다."

환은 외로움을 많이 탄다. 혼자 있으면 쓸쓸하다는 말을 입버릇처럼 했다. 어느 겨울 저녁, 술에 취해 나를 안고 외롭다 속삭이던 목소리가 아직도 생생했다.

아마 지금 환은 퍽이나 외로울 것이다. 그러니 내가 가야 했다.

"그래……."

어깨 위에 올라와 있던 안유군의 손이 떨어졌다.

"정 가겠다면 내가 데려다주마. 시신은 며칠 후면 국경을 넘는다. 새벽에 출발하자."

"감사합니다."

"감사는. 가서 채비해라. 새벽에 깨울 테니."

안유군은 다시 자리로 가서 쓰러지듯 앉았다. 나는 인사를 하고 사랑채를 나왔다.

아까만 해도 미지근하던 초저녁의 바람이 차게 느껴졌다. 오한이 들었다.

한성을 떠날 준비를 마친 후, 방에 홀로 멍하니 있다 깜빡 잠이 들었다.

환이 돌아오는 꿈이었다. 환은 어린 해태를 데리고 돌아왔다. 나는 그를 끌어안고 당신이 죽은 줄 알았다며 펑펑 울었다. 환은 내가 기억하던 꼭 그대로 다정했다. 나쁜 꿈은 잊으라 했다.

그때 환이 데리고 온 해태가 점점 몸짓이 커지더니 나를 무참히 뜯어먹기 시작했다. 어느 사이 환의 모습은 사라지고 큰 해태와 나 둘 뿐이었다. 머리가 뜯겨나가고 내장이 터졌다.

해태가 나를 잡아먹는 것도 당연하다고 생각했다.

내가 나쁜 사람이니 말이다.

환이 죽은 건 다 내 잘못이다.

내가 아니었다면 환은 후백에 가지 않았을 것이다. 아니, 그전에 덕이 패거리의 같잖은 수작에 놀아나 관아로 달려오지도 않았을 것이다. 조금 외로울지는 몰라도, 평화로운 갈매기 소리를 들으며 그곳에 살고 있었을 것이다.

환을 죽게 한 것은 나다.

그러니 나는 이런 일을 당해도 싸다.

출발하자는 안유군의 목소리에 잠에서 깼다. 새벽별이 저물기도 전이었다.

매일 아침 보던 천장이 낯설게 느껴졌다. 어제까지는 고즈넉하던 새벽의 깊은 어둠도 나를 잡아먹을 듯 사납기만 했다.

그리웠다.

그리고 외로웠다.

환에게 달려가는 것 외에 다른 것은 아무 것도 떠오르지 않았다.

동행자는 안유군이 전부였다. 그는 나를 말에 태웠다. 나는 말을 몰 줄 모르니 그의 도움을 받을 수밖에 없었다.

환과도 말은 못 타봤는데.

멍청하게 그런 생각부터 들었다. 생각해보면 우리는 못 해본 것이 너무 많았다.

첫날 안유군과 나는 달리는 말 위에서 아무 대화도 나누지 않았다. 그저 달리고 달려서 고개를 넘고 마을들을 스쳐갔다. 중간중간 쉴 때도 서로 약속한 듯 침묵을 지켰다.

이튿날 안유군이 먼저 말을 텄다. 물가에 말을 묶어두고 쉬고 있는데 그가 갑자기 벌떡 일어나더니 물가 건너를 바라보았다.

"미행하는 자들이 있구나."

그가 작게 속삭였다.

"아마 주상이나 좌상이 붙인 사람들인 모양이다."

"그 빌어먹을 자식들은 죽은 사람 보는데도 미행을 한답니까?"

나는 울컥해서 외쳤다. 정말 지긋지긋했다.

"두려운 거겠지. 권력자들은 때론 죽은 사람을 더 두려워한다."

안유군은 한숨 섞인 목소리로 말하고 내게 수통을 넘겨주었다.

"근데 너 정말 봐야겠냐?"

"예. 꼭 가야 합니다."

내 대답에 안유군은 땅이 꺼질 듯 한숨을 쉬었다.

꿋꿋하게 대답하면서도 속으로는 갈팡질팡했다.

한편으로는 환이 죽었을 리가 없다 생각했다.

다른 한편으로는 아무리 부정해봤자 환이 돌아올 리 없다고 스스로를 나무랐다.

어느 쪽이든 환에게 가야 한다는 사실은 같았다.

만약 환이 정말 죽은 것이라면, 믿고 싶지 않지만 그게 사실이라면, 마지막 모습이라도 확인해야 했다.

"너 마음이 바뀌면 언제든 말해라. 지금이라도 돌아가면 되니까. 시신을 국경까지 운구하는 것만 해도 힘들어 일꾼들에게 품삯을 크게 치렀다고 들었다. 그만큼이나 끔찍하다는구나. 그것보다는 차라리……."

"그런 말은 듣기 싫다 하지 않았습니까?"

나는 울컥해서 외쳤다. 안유군의 가차 없는 배려가 내 마음을 깊게 할퀴었다.

"그래, 네 고집대로 해라. 후에 후회해도 내 알 바 아니니. 형님께서 비명에 가셨는데 너까지 이렇게 구니 난 정말 미치겠다."

안유군은 정말로 화가 난 듯 그 말을 끝으로 입을 꾹 다물었다. 우리는 서로를 외면하고 각자 먼 산을 바라보았다. 잠시 고요하더니 드문드문 흐느끼는 소리가 들렸다. 그의 구슬픈 울음소리에 같이 눈물이 날 법도 하건만 아직은 울 때가 아니라는 생각이 들었다.

철을 모르는 매미가 시끄럽게 울어 젖혔다.

다음 날도 정체 모를 자들은 우리를 끈질기게 따라왔다.

"사람을 좀 데리고 왔어야 했나 봅니다."

내가 말했다. 말은 속도를 줄여 꼬불꼬불한 산길을 빠져나가던 중이었다.

"왜? 걱정 되냐?"

목숨에 미련은 없다. 하지만 환을 보기도 전에 죽을 수는 없었다.

"저야 그렇다 쳐도 안유군 나리께선 몸조심하셔야지요."

"네가 있는데 뭐가 문제냐? 네가 내 호위 무사를 하면 되지."

얼빠진 소리를 하는 걸 보니 어느 정도 평소의 안유군으로 돌아온 것 같았다.

"제가 무슨 힘이 있다고."

"왜? 널 보기만 해도 다 도망갈 텐데."

실없는 농담에 고개만 저었다. 내가 좀처럼 웃지 않자 안유군은 혼자 억지웃음을 흘렸다. 그 웃음소리마저 그치자 먹먹한 적막이 차올랐다. 작은 한숨 소리가 들리더니 그가 다시 말을 걸었다.

"그나저나 너 이 일 끝나면 어떻게 할 거냐?"

"모르겠습니다."

매일 밤 잠드는 것조차 고역인데 그런 훗날을 생각할 수 있을 리가 없었다.

"내 생각에는 섬으로 돌아가는 게 나을 거 같다. 지금도 미행을 붙이는 사람들인데, 한성에 있으면 괜한 의심을 살 수도 있어."

대답하고 싶지 않아 이야기를 돌렸다.

"이안군께서도 말을 잘 달리셨습니까?"

"그럼. 나보다 훨씬 잘 타셨지."

"그런 모습은 한 번도 못 봤네요."

"그래도 남들이 못 본 다른 모습은 많이 봤잖아."

안유군이 작게 대꾸했다.

닷새의 여정이었다. 쉴 새 없이 달려온 끝에 날짜를 맞추었다.

국경 지대는 풀포기 하나 없는 허허벌판이었다. 황량한 대지에 모래바람이 불었다. 살아 있는 것이라곤 멀리 창공을 나는 까마귀들이 전부였다.

"왜 이렇게 된 겁니까?"

"조정과 후백의 관계 약화로 가장 고통을 받은 것은 국경 지대의 백성들이었지. 재산은 침탈당하고 여자들은 공녀로 잡혀갔다."

"한성 사람들만 잡아간 게 아니었군요."

"여기서는 더 많이 갔어. 나라에서는 손을 놓고 있었고. 그 와중에 세리稅吏들이 세금을 걷으러 오자, 분노한 백성들이 이 땅에 모조리 불을 지르고 떠난 거다. 그게 아직 복구가 되지 않았구나."

안유군의 이야기는 거기서 끊겼다. 바람을 타고 온 시큼하고 텁텁한 냄새가 우리를 덮쳤다. 안유군은 말을 세웠다.

시신을 운구하는 행렬은 보이지도 않는데 냄새가 먼저 닿았다. 두 달의 더위와 습기에 썩어버린 시신의 악취는 지독했다. 살짝 스치기만 해도 오장이 뒤틀릴 것 같은 냄새였다. 나는 말에서 내리자마자 토악질을 했다. 며칠간 제대로 먹은 게 없어 멀건 물만 올라왔다.

까마귀 떼가 울었다.

"지금이라도 돌아가자."

안유군의 낯은 창백하게 질려 있었다.

"그럼 나리는 여기 계십시오. 저는 가렵니다."

"꼭 가야겠니?"

"여기서 돌아가면 나리께서 서운해하실 겁니다."

"형님께선 이런 걸 바라지 않으실 거다."

"혼자 가게 두면 쓸쓸해하실 겁니다. 정 그러시면 안유군 나리께선 여기 계십시오. 저 혼자 갈 테니."

안유군은 나를 더 만류하지 않았다. 나는 그를 내버려두고 걸음을 옮겼다.

다리가 유독 묵직했다. 흔한 나무 그늘 하나 없어서 머리 위로 뜨거운 태양이 열기를 들이부었다. 마른 모래가 발아래서 버석거렸다.

안유군이 현명한 것일지도 모른다.

나는 그저 절망을 확인하러 가는 것이다. 남은 희망을 뿌리 뽑으러 가는 것이다. 한 걸음을 옮길 때마다, 수렁 속으로 걸어들어가는 기분이었다.

악취가 코를 찔렀다. 죽음의 냄새가 이토록 역겨운 줄은 처음 알았다.

냄새만으로도 알 수 있었다. 이 악취의 근원이 이 세상의 것일리 없다.

내가 좋아했던 환의 냄새는 티끌만큼도 닮지 않은 악취였다. 이후에 나는 환을 떠올리면 그 좋았던 체취보다 이 끔찍한 시취를 먼저 기억해낼지도 모른다. 그러니 지금의 모습보다 이전의 모습을 기억하고 살아가는 게 나을 수도 있다.

그런 생각을 하면서도 발걸음을 멈출 수는 없었다.

보아도 후회할 것이고, 보지 않아도 후회가 남을 것이다.

그렇다면 마지막으로 환의 파편이라도 쥐어보고 싶었다. 내 눈으로 보고, 내 손으로 움켜쥐어야만 할 것 같았다.

아니야, 어쩌면, 어쩌면…….

어쩌면 환이 죽은 게 아닐 수도 있다는 부질없는 희망은 끝내 꺼지지 않고 내 속을 태웠다.

저편에서 시신을 운구하는 행렬이 보였다. 인부들이 힘겹게 수레를 밀고 있었다. 정신이 점점 아득해졌다.

튀어나온 돌부리에 걸려 맨땅을 굴렀다. 손바닥과 무릎이 까졌다.

이대로 주저앉고 싶었다.

사실은 무서웠다.

환이 정말 죽었다면……. 그걸 내 눈으로 확인한다면……. 그 다음에는?

까마귀의 울음소리가 다시 들렸다. 그 소리가 내 등허리를 바삐 쪼아댔다.

지금이 아니면 영원히 환을 볼 수 없다고 이르는 듯이.

바닥을 짚고 일어났다. 바람결에 뒤섞인 모래가 아프게 내 피부를 때렸다. 나는 다시 수레를 향해 걸음을 내디뎠다.

내가 다가오는 것을 보았는지 수레가 잠시 멈췄다.

"이안군을 보러 왔습니다."

인부들을 향해 말했다.

인부들은 모두 코를 집게로 막고 있었지만 안색이 파리했다. 수레가 멈추자마자 저만치 가서 구토하는 자들도 있었다. 관 바닥에서 새어 나온 진물이 수레 아래로 똑똑 떨어졌다.

앞에 선 인부가 잠시 대답을 망설이기에 혹시나 하는 희망이 피어올랐다.

환이 아닐 수도 있다. 무언가 소식이 잘못 전달된 걸 수도 있다.

이윽고 인부가 천천히 입을 열었다.

"누가 올 거라는 연락은 받지 못했습니다만, 여기까지 오셨으니 확인하시죠."

끝내 이안군이 아니라는 답이 돌아오지는 않았다. 억장이 무너졌다. 나는 힘겹게 고개를 끄덕이고 관 위에 손을 올렸다.

이 안에 환이 있다.

내가 기다리던 환이 있다.

관을 꽉 쥐었지만 좀처럼 몸이 움직이질 않았다.

돌이키려면 지금 뿐이다.

돌아가자.

아무래도 보지 않고 돌아가는 편이 낫겠다.

마지막 망설임은 길었다. 기다리다 못한 인부가 말을 걸었다.

"별로 볼 만한 상태는 못 됩니다. 저희도 열어본 적은 없지만……. 무리하지 마세요."

"아니, 봐야겠습니다."

나는 관 뚜껑을 살짝 들고 손가락을 끼웠다. 그나마 억눌려 있던 지독한 냄새가 훅 퍼졌다. 인부들이 코와 입을 막고 저만치 물러섰다.

천천히 뚜껑을 들어올렸다. 얄팍한 나무판자의 무게가 팔을 묵직하게 짓눌렀다. 관 뚜껑 위에 무거운 바위라도 놓인 듯했다.

마침내 관이 열렸다.

뙤약볕이 관 안으로 환하게 쏟아졌다.

시신은 살이 모두 흐물흐물 녹아내려 형체를 알아볼 수 없었다. 그나마 남은 살덩이에는 새까만 벌레들이 자글자글 끓었다.

뻥 뚫린 눈구멍이 나를 올려다보았다.

"아……."

이게 환인가.

이게 정말 내가 사랑했던 그 사람인가.

이게?

"나리……."

나는 말라붙은 시신의 손을 그러쥐었다. 손바닥 아래서 벌레가 꿈틀댔다. 그나마 붙어 있던 살이 불쾌하게 뭉개졌다. 내가 좋아했던 환의 손과 어느 하나 닮은 것이 없었다.

환은 죽었다.

정말로 죽었다.

보드랍던 손도, 마음을 흔들던 목소리도, 은은히 빛나던 눈동자도, 모두 썩어버렸다.

내 혼도 꼭 그와 같이 문드러졌다. 진득한 미련에서도 꼭 이런 악취가 날 것 같았다.

썩는다.

구더기가 끓는다.

이 자리에서 정말로 죽은 사람은 어쩌면 당신이 아니라 나였다.

"산."

불러보아도 돌아오는 답은 없었다.

"산."

죽은 이의 이름을 크게 세 번 부르면 혼백에게 닿는다 했다. 나는 간신히 목소리를 쥐어짜내 마지막으로 그를 불렀다.

"산."

혼백이란 결코 답을 주는 법이 없다. 다 문드러져 치열이 드러난 입에서는 구더기 몇 마리만 기어 올라올 뿐이었다.

인화야.

다정한 호명도, 너무 자상해 바람에 나부낄 것만 같던 말들도 없었다.

나는 으스러뜨리듯 그의 손을 꽉 쥐었다. 살 아래 백골의 섬뜩한 감촉이 느껴졌다.

돌아오길 바라던 사람이 있었다.

분명 우리라면 기적 같은 일들도 걸음마다 피어날 거라고 믿었다.

사랑한다, 고맙다, 수고했다.

남겨진 말은 마지막 호명과 함께 모두 저물었다. 깊은 어둠이 나를 저 아래로 잡아당겼다.

"저기요."

누군가 거세게 내 어깨를 흔들었다. 어느 새 뒤로 다가온 인부가 오만상을 쓰고 있었다. 아까부터 나를 부른 모양이었다.

"정신 좀 차리세요. 이제 가야겠습니다. 마지막으로 작별 인사만 하세요."

"아, 아뇨. 잠시만, 조금만 더……."

"너무 지체됐습니다."

"빨리 좀 닫으라 해!"

뒤편에서 거친 목소리들이 들렸다. 인부들은 억지로 나를 떼어놓고 관 뚜껑을 닫아버렸다.

"잠시만요, 잠시만!"

나는 인부들을 떨쳐내고 다시 관을 붙잡았다.

"빨리 가자."

인부들이 수레를 움직이기 시작했다. 바퀴는 빠르게 굴렀다. 나는 환을 놓치지 않으려 달렸다.

"잠깐만요!"

인부들은 나를 외면하고 무심하게 수레를 끌었다. 관을 붙잡은 손이 자꾸만 미끄러졌다.

"멈춰! 멈추라고요! 산! 잠깐, 잠깐만 기다려요!"

수레가 덜컥거리는 순간, 내 몸이 앞으로 고꾸라졌다. 날카로운 돌부리에 걸려 발목 부분이 찢겨나갔다.

"거기 서! 서라고! 산!"

황폐한 허공에 비명이 울려 퍼졌다.

환은 점점 멀어지고 있었다. 수레가 가는 길을 따라 진물이 길게 선을 그렸다.

나도 살고 싶어.

그의 썩어 문드러진 입이 금방이라도 피맺힌 울음을 내뱉을 것만 같았다.

"산, 죽지 말아요, 죽지 마……."

뒤늦은 답이 허공에 울렸다.

일어나야 하는데, 산을 좇아야 하는데, 다리에 힘이 들어가지 않았다.

슬픔이 몸을 찢었다.

이렇게 고통스러운데 왜 숨통은 끊어지질 않을까.

"헤어지기 싫어, 산, 헤어지기 싫어……."

더는 견디지 못하고 그 자리에서 토악질을 했다. 까마귀 소리와 시취가 어지럽게 골을 울렸다.

멀어지던 바퀴 소리가 이내 영영 들리지 않게 되었다.

나는 손등으로 입가를 훔치고 고개를 들었다. 황량한 대지에는 슬픔을 감출 그늘 하나 없었다. 아까보다 거칠어진 바람이 뺨을 아프게 때렸다.

이곳이 지옥이 아니라면 어디가 지옥일까.

목덜미를 태우는 불볕은 너무 뜨겁고, 더위는 숨이 찰 만큼 무거웠다.

이렇게 더운 여름은 처음이다.

이게 다 산이 올해는 내 더위를 사가지 않아서다.

그 생각을 하는 순간, 드디어 눈물이 터졌다. 나는 진물이 범벅된 모래를 꽉 움켜쥐었다. 고개를 쳐들고 울었다. 눌러뒀던 울음이 몸을 쪼갤 듯했다.

흐느낌으로 시작된 울음은 이내 통곡이 되었다. 나는 마른 땅을 내리치며 울부짖었다. 말은 나오지 않았다. 울음 속에 간간히 산의 이름을 부르짖는 게 다였다.

차라리 죽었으면. 이대로 죽어서 나도 모래처럼 알알이 흩어졌으면.

아무리 울어도 돌아오는 답은 없었다.

작열하는 늦여름의 태양, 무심히 우는 까마귀 떼, 아득하게 풍기는 시체의 악취. 그 속으로 울음소리가 산산이 흩어졌다.

이별이었다.

산은 떠났다.

그것이 우리의 마지막 만남이었다.

섬으로 돌아왔다.

괜찮다는데도 안유군은 굳이 배를 타는 곳까지 배웅을 왔다. 헤어지기 전 안유군은 망설이다 입을 열었다.

"마음 정리가 쉽지 않겠지."

"전 괜찮으니 이제 나리 일을 잘 챙기십시오. 이안군 나리도 죽인 놈들이 무슨 짓을 못할 것 같습니까?"

환은 귀국하던 길 도적 떼를 만나 참살당했다고 했다. 하지만 안유군도 나도 그 말을 믿지 않았다. 환을 죽인 것은 아마도 좌상과 친연파일 것이다.

"원수는 내가 갚을 테니 너는 네 앞일만 생각하거라."

"꼭 갚으십시오."

말하면서도 헛웃음이 나왔다. 어차피 환이 떠난 판에 그깟 조정 누가 해 처먹든 내 알 바 아니었다. 그제야 내 주제를 알았다. 나는 애초에 별거 아닌 시골의 계집애였다. 내 세상은 끝도 없이 펼쳐진 바다와 작은 섬이 전부였다. 봄에 나물이나 실컷 따고 가을에 밤이나 가득 주우면 그걸로 족해야 하는 게 내 타고난 분수였다. 그런 내가 무엇이 대단하다고 환에게 그런 말을 했을까. 협상도 성공하고 당신도 돌아오면 좋겠노라고.

그렇게 말해서는 안 되었다.

환이 돌아오는 것만 중요하다 말해야 했다.

누가 어떻게 되든 상관없으니 당신만 오면 된다 했어야 했다.

또 내 주제도 모르고 과한 욕심을 냈다. 그러니 이렇게 벌을 받는 것이다.

우리는 착하지 못해서, 그렇다고 악하지도 못해서, 이런 사람들에게 하늘은 언제나 가장 잔혹한 벌을 내린다.

"그러니 너도 살아라. 어쨌든 살겠다고 약속해라."

"살겠습니다."

자신 없는 약속을 했다.

"그래. 너 아직 나이도 한창이고, 또 세상에는 좋은 사람도 많다. 필요하다면 좋은 혼처도 알아봐주고 지참금도 내가 보내마. 이왕 살아남은 거, 잘 살아야 하지 않겠니."

야속한 위로가 살을 에었다.

"괜찮습니다, 나리."

"형님께서 떠나기 전에 내게 당부하고 가셨다. 만약 무슨 일이 생기거든 네게 잊고 살라 전해달라고 말이다. 아직 스물둘이니 다 잊고 새롭게 시작 못할 것도 없겠지."

환이 나 몰래 안유군에게 그런 당부를 했던가.

또 눈물이 날 것 같아서 얼른 바다 쪽으로 고개를 돌렸다.

"괘념치 마십시오."

"아니야. 생각이 바뀌면 언제든 말해라. 서신 하마."

배가 출발한다는 외침이 들렸다. 안유군은 심호흡을 하더니 품에서 곱게 접힌 종이 한 장을 꺼냈다. 거친 바람에 힘없는 종이가 안쓰럽게 팔락였다.

"형님께서 떠나기 전에 네게 전하라 하신 편지다. 이걸 전할 날이 오지 않길 바랐다만……."

나는 그 편지를 받아 품에 넣었다.

마지막 인사를 나누고 배에 올라탔다. 육지가 점점 멀어졌다. 나는 갑판에 스르륵 주저앉았다. 더 흘릴 눈물도 없다고 생각했는데 다시 눈시울이 뜨거워졌다. 나는 돛대에 기대어 앉아 편지를 꺼냈다. 눈물이 번질까 겁이 나 편지를 높이 들어 펼쳤다. 종이 뒤편으로 비친 해가 눈부셨다.

정갈하고 흔들림 없는 환의 필체였다.

> 시장에서 서책을 읽는 걸 보니 이젠 제법 잘 읽더구나.
> 그래서 네게 글을 남겨도 되겠다는 판단이 들었다.
> 새벽, 네가 잠든 틈을 타서 짧게 남긴다.

국문장에서는 잠시 네게 글을 가르친 걸 후회했다만, 다시 생각해보니 역시 잘한 일이다 싶다.
이제 와서 하는 이야기지만 우리 사이에는 몇 번의 밤이 있었고 그게 전부였지. 어떤 약속도 할 수 없었고, 해서는 안 되었다.
짧게 스친 인연, 네게 깊은 상흔으로 남지 않길 바란다.
너를 처음 만났을 때, 아니 그 이전부터 나는 마음에 큰 구멍이 있었어. 둑에 뚫린 구멍처럼 그곳으로 외로움이 콸콸 쏟아져 나왔지. 그 구멍을 너를 구겨 막으려 했던 내 죄다.
이기적인 사람이니 너무 오래 기억하지는 않았으면 하는구나.
어쩌면 나는 너를 그다지 연모하지 않는지도 모르겠다.
그래서 너를 두고 떠날 수 있는 걸지도 모르겠다.
네 감정도 한 철로 낙화하는 봄꽃처럼 자연스레 저물어갈 거라 생각한다.
이게 우리에겐 최선의 결말이야. 그래도 둘 중 하나는 살아갈 테니까.
한성까지 오는 여행길이 즐거웠다 했지. 하지만 분명 힘든 일도 많았겠지. 그것처럼 이것도 긴 여행의 일부라 생각하렴. 나는 네 긴 여행길에 잠시 스친 고된 인연이었다고. 우리가 헤어져도 네 여행은 계속 되어야 해. 그래야 더 아름다운 풍경을 보고, 더 깊은 행복을 찾을 수 있을 테니까.

너는 이제 다른 사람을 만나고, 어쩌면 아이를 낳고, 그렇게 살아가겠지.

그 모습을 그려보면 내 죽음도 그다지 헛되지는 않다는 위안이 든다.

나는 처음부터 너와 함께할 만한 사람이 못 되었어.

백일몽처럼 꾸는 꿈조차 미안했다.

좀처럼 말할 기회가 없었다만, 나는 계절 중에 봄을 가장 좋아한단다.

네가 나 대신 수많은 봄을 누려주었으면 좋겠구나.

인화야.

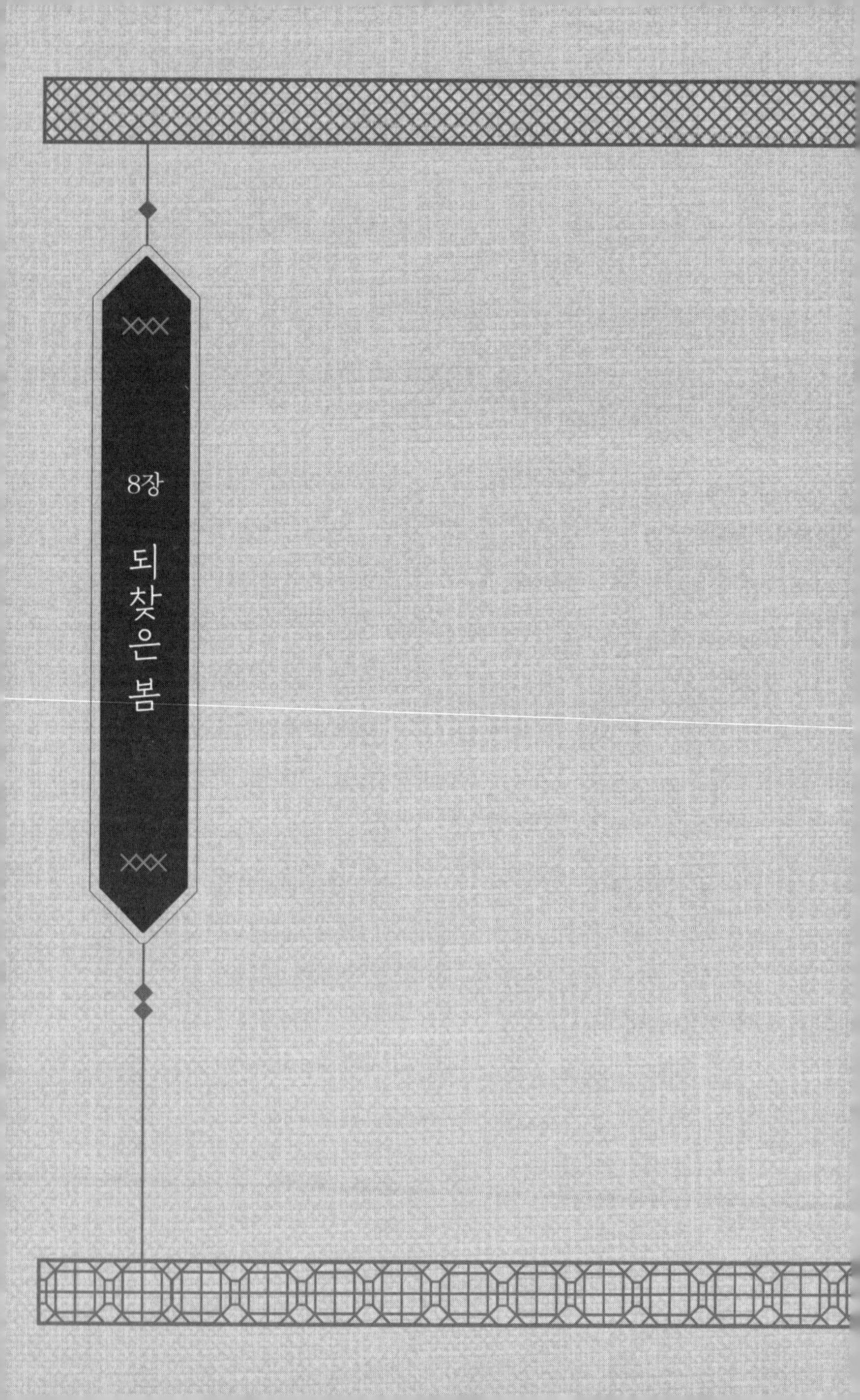

8장

되찾은 봄

환은 그런 말을 했다.
빛나는 것은 하루의 절반밖에 뜨지 않는 거라고.

돌아와 며칠간은 밖에 나가지 않았다. 그런데도 내가 돌아왔다는 소문이 났는지 문간에서 사람들의 수군거리는 소리가 나기도 했다. 나는 어두운 방구석에 박혀 환이 남긴 팔찌를 만지작거렸다. 피를 먹은 실이 뻣뻣했다. 한때는 이 실도 푸른색이었는데 지금은 거무튀튀하다.

가을이라 풀벌레들이 울었다. 그가 말한 봄이 까마득히 멀게 느껴졌다.

닷새째 되던 날 드디어 집을 나섰다. 어쨌거나 하루하루 입에 풀칠하기 위해서는 새로운 일을 구해야 했다. 미적미적 시장 길을 걸었다. 쏟아지는 햇빛은 여전히 찬란했다. 나는 그믐밤에 갇힌 것만 같은데 세상은 떠들썩하고 노랫소리마저 들린다.

"야."

반갑지 않은 목소리에 돌아보니 덕이가 이쪽을 향해 빈정대는 웃음을 띠고 있었다.

"너 어디 가서 뒈진 줄 알았더니 용케 돌아왔구나. 그래, 그 양반은 죽었다지?"

아랫입술을 너무 세게 물어 피가 흘렀다.

"좌상 대감이 보낸 사람이 그리 말하더라. 처음부터 죽을 놈이었어. 뭘 그렇게 보니?"

"죽고 싶지 않으면 내 앞에 알짱거리지 마라."

내 경고에도 덕이는 웃음을 그칠 줄 몰랐다.

"하여간 계집애들은 별 우스운 감정 때문에 사리판단을 못하지. 그놈은 처음부터 죽어도 싼 놈이었어."

이런 감정이 우스운 것이라면 세상에 우습지 않은 감정은 없을 거다.

나는 이를 악물고 덕이에게 달려들었다. 덕이 놈이 내 어깨를 확 밀쳤다. 뒤로 쓰러져 흙바닥을 굴렀다.

"그러게 이기지도 못할 거 왜 덤비니?"

덕이가 입술을 비죽였다. 나는 자리에서 일어나 그를 노려보았다.

"난 곧 한성으로 갈 거다. 가면 말이야, 좌상 대감이……."

반박할 가치도 느끼지 못했다. 덕이가 무어라 나불대는 것을 무시하고 그 자리를 빠져나왔다.

현기증이 났다.

이 마을이 싫었다. 마을 사람들의 쑥덕거림이 싫었다. 덕이 놈의 이죽거림도 싫었다. 무엇보다 덕이 하나 죽이지 못하는 내가 싫었다.

나는 도망치듯 마을을 나왔다.

발걸음이 닿는 대로 걸었더니 어느 새 그 절벽에 도착했다. 절벽 아래 파도가 흉포하게 몰아쳤다.

이곳에서 환과 느릿느릿 풍화되길 꿈꿀 때도 있었다.

안 그래도 부실하던 대문은 태풍을 맞기라도 한 것인지 반쯤 부서져 있었다. 마당에는 잡초가 무성했다. 그곳을 지나 방으로 들어갔다. 가득한 먼지가 나를 맞았다.

나는 자리에 주저앉아 바닥을 더듬었다. 먼지 쌓인 바닥은 냉기가 선연했다. 그곳이 그가 있던 자리였다. 나는 그를 어루만지듯 그 빈자리를 쓰다듬었다.

하염없이 손으로 바닥을 쓸던 이비의 등이 내 모습 위로 겹쳐졌다.

사는 내내 나는 이 자리를 더듬을 것이다.

이 바닥이 닳아버릴 때까지 쓸고 또 쓸다가, 결국은 온기의 감각을 잊고 당신의 체취를 잊고 이 자리가 누구의 자리였는지도 잊을 것이다.

아무 것도 기억하지 못하는 주제에, 하염없이 이 자리만을 쓸고 있겠지.

환은 그런 말을 했다.

빛나는 것은 하루의 절반밖에 뜨지 않는 거라고.

그 절반조차 잃어버리고 나는 완전한 어둠 속을 살았다.

잠이 오지 않는 밤마다 술을 들고 절벽 위로 향했다. 종래에는 거의 이곳에서 살다시피 했다. 어차피 가족도 친척도 없는 외톨이였다. 처음에는 내 기행에 대해 잔소리를 하던 마을 사람들도 얼마 못 가 신경을 껐다.

영 무료할 때는 환이 남겨두고 간 서책을 읽었다. 어쩌다 책 귀퉁이에서 그가 남긴 듯한 글씨라도 발견하면 보물이라도 찾은 듯 기쁘다가 다시 슬퍼졌다. 옷장 안을 열어보니 옷 몇 벌이 남아 있었다. 내가 좋아하던 그의 체취가 남아 있지 않을까 했지만 아무 냄새도 나지 않았다. 옷장 구석에는 난도질 된 솜옷이 처박혀 있었다. 그 어설픈 모양의 버선은 아마 이것으로 만들었던 모양이었다. 이래놓고 시치미를 뚝 뗀 것이 우스워 혼자 웃다가 이내 울었다.

가을에는 산에서 미친 사람처럼 예쁜 낙엽들을 모았다. 그가 남기고 간 서책 장마다 그 낙엽을 꽂았다가 모조리 버렸다. 그 사람이 없는 가을을 기억하는 건 무의미했다.

일거리가 없는 겨울에는 절벽 위 폐가에 박혀 지냈다. 눈이 쌓인 비탈을 내려가기 어려워 마을로 돌아가지 않았다. 배가 주릴 때만 부엌에 들어갔다. 부엌에 들어가면 낡아빠진 부지깽이가 발치에 걸렸다. 금위영의 무사들이 왔던 날, 내가 쥐었던 물건이었다. 그날을 마지막으로 환은 이 집에 돌아오지 못했다.

달은 뜨고 눈은 내리는데 고요함 속 어디에도 당신의 숨결은 없다.

그렇게 겨울을 버티고 나면 봄, 환이 좋아하던 봄이 왔다.

삼월에 태어난 나와 오월에 태어난 환.

우리 사이에 봄이 있다.

있었다.

당신이 없는 봄은 한숨 한 번에 흩어졌고, 꽃은 금방 그늘 속으로 시들었다.

가장 괴로운 계절은 장마였다. 나 혼사 빗속에 갇혀 오래도 울었다. 비가 그치고 매미가 울면 그 소리가 듣기 싫어 쫓아냈다.

여름은 싫다. 스물한 살의 여름, 나는 이 섬에서 당신과 작별했다. 이듬해 여름에는 당신의 부고를 들었다.

여름만 오면 그저 죽을 것 같았다. 음산한 파도 소리 너머 들리지 않는 음성만을 찾았다.

우리가 함께 한 것은 고작 일 년 남짓의 짧은 시간이었다. 그마저도 떨어져 있던 날들이 절반은 되었다. 그런데도 그의 흔적이 너무 많아 괴로웠다. 자잘한 추억들이 문신이라도 된 것처럼 씻어내려 해도 씻겨가지 않았다.

내가 주었던 팔찌는 그의 유품이 되었다. 환이 어디 묻혔는지도 모르니 이것을 묻어 아비의 무덤 옆에 가묘라도 만들어줄까 했다. 몇 번이나 고민했지만 차일피일하다 만들지 못했다.

나는 아직 환을 보내지 못했기 때문이다.

눈을 감으면 환의 마지막 모습이 떠올랐다. 그때의 악취가 생생해서 구역질을 하기도 했다. 그럴 때일수록 필사적으로 그와의 추억을 헤집었다. 온기가 남아 있던 시절의 그를 온전히 떠올려야 간신히 고통에서 벗어났다.

늪을 헤엄치고 있다고 생각했다. 몸부림칠수록 빨려들어갔다. 입안에 진흙이 가득 찬 것처럼 숨쉬기가 벅찼다.

환은 틀렸다. 한 철이면 사라질 거라 했던 감정은 오래도록 나를 데우고 갉아먹었다. 당신이 좋아한다던 봄은 그렇게 세 차례나 지나갔다.

네 번째 봄이 왔다.

스물여섯의 나는 술을 먹지만 않으면 그럭저럭 눈물을 참을 수 있게 되었다. 안유군은 서신을 띄워 종종 내 안부를 물었다. 아직도 혼인하지 않았느냐고, 좋은 혼처를 알아두었다는 편지를 전해준 사람의 눈앞에서 찢어버렸다.

네 번의 봄, 나는 간신히 숨은 쉬지만 나아가지 못한다.

그날은 청보리 수확을 돕기로 한 날이었다. 벌써 도착해 있던 마을 아주머니 하나가 말을 걸었다.

"너 어제도 거기 다녀왔니?"

"예."

"아직도 그래? 벌써 몇 년이 흘렀는데."

시간이 나만 비껴 흘렀나 보다. 나는 아직도 환이 떠난 그날에 멈춰 있었다.

"삼월아, 마침 저 건넛마을에 재취 자리가 났다는데……."

"이러다가 해가 지겠습니다."

나는 그녀의 말을 끊고 밭으로 들어갔다.

이런 식이다. 안유군도 마을 사람들도 나를 어떻게든 지난 시간에서 떼어놓으려 안간힘을 쓴다. 나는 한 발자국도 나아가고 싶지 않은데 세상은 자꾸만 등을 떠민다. 살아가라 강요한다.

돌아올 수 없는 누군가를 자꾸만 그리는 것은 허망한 일이라고. 불가능한 것을 바라지 말라고.

그런 무심한 말들이 가슴을 꿰뚫고 지나갔다.

죽은 사람은 다시 오지 못한다. 나도 이제는 당신이 나를 항시 비추는 태양이 아니라 스치는 풍랑이었음을 안다.

아는데도 멈출 수가 없다.

추억에 파묻혀 질식할 때까지 당신을 생각하고 또 생각하는 게 이미 내 삶이 되어버렸다.

아주머니가 와서 또 말을 거는 것을 못 들은 체 하고 청보리만 베었다. 땀을 흘릴 때는 아무 생각도 하지 않아도 되어서 좋았다.

해가 저물 무렵 품삯을 챙겨 서둘러 자리를 떠났다.

늦봄의 석양이 따가웠다.

일을 마치고 돌아오는데 큰길 쪽에서 시끌벅적한 소리가 들렸다. 다가가니 덕이와 수령이 포박되어 끌려가고 있었다.

"무슨 일이에요?"

구경꾼 중 하나에게 물었다.

"한성에서 뭔 일이 또 난 모양이야. 아, 글쎄, 그 나는 새도 떨어트린다던 좌상 대감이랑 그 일당들이 싹 쓸려나갔다지? 덕이 저 놈이 좌상 대감이 자기한테 한성에서 한자리 마련해줄 거라고 그렇게 떠들어대지 않았니?"

덕이는 벌써 몇 년째 그 이야기를 하며 으스대고 다녔다. 하지만 좌상은 좀처럼 그를 한성으로 부르지 않았다. 나중에는 덕이도 머쓱했는지 한성에서 친연파와 친백파의 엎치락뒤치락 싸움이 심해 여유가 나지 않는 거라 덧붙였다. 그래도 좌상이 약속했으니 몇 해 안으로는 꼭 올라갈 것이라는 말도 잊지 않았다.

연나라는 지난겨울 완전히 패망했다. 후백의 왕이 새 황제가 되었다. 어떻게든 연나라에 힘을 보태 대국의 정세를 뒤집어보려던 친연파의 계획은 완전히 무너진 것이다. 고작 작은 추 하나 보태는 것으로 기울기 시작한 저울을 바꿀 수 있으리라 믿은 그들의 오만이었다. 그러니 조정에서도 더 버틸 수 없었을 것이다.

이런 일련의 사실들은 모두 안유군의 편지에서 전해들은 것이다. 안유군은 지금 후백과의 관계가 잘 풀리는 것은 환의 덕분이라고 했다. 그걸 아는 사람은 몇 없었다. 나라도 똑똑히 기억하고 싶어서 모처럼 안유군에게 답신을 써서 그 이야기를 더 자세히 풀어달라 부탁했다. 바쁜 모양인지 아직 답서는 오지 않았다.

"수령도 덕이랑 무슨 관계가 있었나 봐. 같이 잡혀가 문초당할 거라는구만."

"사람이 줄을 잘 잡아야지, 안 그래?"

"근데 대체 한성에서 뭔 일이 났대?"

"모르지, 뭐. 그 동네 요란한 게 하루이틀 일인가."

구경꾼들이 저들끼리 떠들게 내버려두고 나는 덕이에게 달려갔다. 내가 눈앞에 나타나자 덕이가 멈칫했다.

내가 덕이에게 달려들려고 하자 군졸들이 다급하게 내 팔을 잡아챘다.

"꼴좋다."

나는 피식피식 웃으며 덕이를 노려보았다.

"네 말대로 한성으로 가긴 가는구나? 그 좌상 대감이란 노인네 약속 한번 잘 지키네."

"그래서? 네가 이긴 거 같니?"

내 비꼼에 덕이가 분한 듯 받아쳤다.

이겼냐고. 아니, 나는 졌다.

"그래서 이게 다 무슨 소용이야!"

나는 군졸들을 억세게 뿌리쳤다. 어디서 그런 힘이 났는지 몰랐다. 그들이 다시 나를 막을 새도 없이 나는 덕이의 얼굴에 주먹을 몇 번이고 날렸다. 코피가 튀고 으스러지는 소리가 나도 분이 풀리지가 않았다.

"너만 아니었어도, 너희만 아니었어도!"

안다.

그들이 아니었어도 우리는 어쩔 수 없었을 것이다.

세상의 물살은 한 사람이 목숨을 걸고 헤엄친다 한들 거슬러 오를 수 없다. 처음부터 기약할 수 없었던 인연, 멋대로 기적을 바란 내 마음의 죄였다.

눈물이 펑펑 쏟아졌다. 나는 바닥에 주저앉아 울었다. 오열하는 나를 두고 군졸들은 서둘러 덕이를 끌고 가버렸다.

복수는 끝났다. 원수를 갚겠다던 안유군은 제 말을 지켰다.

그러나 나는 아직 살겠다던 그 약속을 지키지 못하고 있었다.

구경꾼들이 다 떠난 후에야 간신히 바닥을 짚고 일어났다. 기묘한 시선이 느껴져서 뒤를 홱 돌아보았다. 분명 시선이 느껴졌는데도 인적은 없었다.

섬에 돌아온 이후 가끔 있었던 일이었다. 안유군에게 물었더니 왕이 보낸 사람일 거라고 했다. 왕좌에 앉으면 의심이 많아져서 나 같은 먼지만도 못한 것까지도 감시하게 되는 거란다. 계절에 한 번은 있던 일이라 크게 신경 쓰지 않았다. 좌상이 무너졌는데 왕은 참 여유롭다 싶었다.

오늘도 갈 곳 잃은 내 발은 또 그 절벽으로 향했다. 사실은 환이 있던 그 시절로 돌아가고 싶은 거겠지. 그 시절로는 돌아갈 수 없으니 자꾸만 그 장소로 돌아가고 만다.

힘겹게 비탈을 올랐다. 환이 저 위에 머물던 시절엔 늘 비탈을 오르는 발걸음이 산뜻했다. 그런데 지금은 내 걸음걸이가 날개가 부러져 뒤뚱거리는 새처럼 느껴졌다. 그 사이 나이를 먹었기 때문인지, 아니면 환이 없기 때문인지. 나는 앞으로도 계속 늙어가기만 할 테고 환은 영영 없을 테니 아마 확인할 길은 없을 거다.

절벽을 오르는 사이 달이 떠올랐다. 보름달이 환하게 하늘을 밝혔다.

나는 절벽 끝에 아슬아슬하게 섰다. 어쩐지 오늘은 이 바다가 꼭 보고 싶었다.

처음 이곳에 왔던 날이 떠올랐다. 저 비탈을 올라오던 환의 모습이 아직도 생생했다.

옛일로 우는 것은 바보짓이다. 부모를 잃은 양반들도 삼년상밖에 안 지낸다. 그러나 내 마음속에서 환의 장례는 아직 시작도 못했다.

"시시하다."

바람이 혼잣말을 싣고 가버린다.

지난 사 년간 덕이 놈을 죽여버리고 싶지 않은 날이 없었다. 환이 그렇게 됐는데 덕이 놈이 잘 살면 미쳐버릴 거라 생각했다. 그런데 막상 덕이가 잡혀가는 꼴을 보고도 유쾌하지 않았다.

오히려 허망했다.

복수의 끝이 허망한 것은 환이 돌아올 수 없기 때문일 테다.

포승줄에 묶여 가던 덕이의 모습이 떠올랐다. 고작 그런 추잡한 광경을 보려 사 년 넘게 산송장으로 버텨온 내가 한심했다.

"저도 할 만큼 한 거 같습니다."

듣지도 못할 환에게 말을 걸었다. 허공 어딘가에 그가 있기라도 한 것처럼.

"나리께서 보라 한 봄은 네 번이나 봤고요."

겉보기에는 그럭저럭 지냈다. 환이 이곳에 머물던 때처럼 낮에는 일을 하고 밤에는 빈 집에 와서 시간을 보냈다. 밤마다 떠오르는 따뜻한 추억들이 하루하루 나를 좀먹었다.

시간이 나를 부식시키기를 기다리는 것이나, 지금 저 아래 떨어져 바다에 쓸려가는 것이나, 어느 쪽이든 매한가지라는 생각을 자주도 했다.

"애초에 돌아오지도 못하실 분의 말씀을 제가 꼬박꼬박 지켜야 할 이유도 없고요."

한 번은 너무 화가 치밀어서 누렇게 뜬 편지를 찢어버리려 한 적도 있었다. 결국 귀퉁이 하나 구기지 못하고 내려놓았다. 그런 짓거리를 앞으로 얼마나 반복할지 진절머리가 났다.

그와 바라보던 바다는 몇 해 전과 똑같았다.

이곳이 내 무덤이라는 생각이 들었다.

스물여섯.

살기에는 늦고 죽기에는 이른 나이다. 나는 아직 사 년을 더 버텨야 처음 만날 때의 환과 같은 나이가 된다. 그 나이가 되어 이 풍경을 보면 그를 좀 더 이해할 수 있게 될지도 모른다.

하지만 내가 그날까지 버틸 수 있을까.

나는 허리를 숙여 아래를 내려다보았다. 파도 소리는 어지럽고 바람은 등을 떠밀었다. 바람 때문인지, 촘촘히 돋은 풀잎들이 바스락거리는 소리가 얼핏 들렸다.

환은 꽃은 지고 아름다움은 영원하다며 내 이름에 아름다울 화를 붙였다. 찰나에 사라지는 인간에 불과한 나에게 그런 이름을 붙인 심사가 의아했다. 그러나 이제는 물어볼 수도 없다. 그가 살아 있을 때 더 많이 묻고 이야기를 나눴으면 좋았을 것이다.

언제나 죽는 것보다 사는 것이 버겁다 생각하면서도 멈추지 못하고 살아왔다. 멈출 시기를 찾지 못해서였다.

지금이 그때일지도 모른다.

환의 복수가 끝난 바로 오늘.

이것이 내가 우리의 이야기를 추모하는 방식이다. 별로 고매하지도 않고, 아름답지도 않다.

몸이 앞으로 기울었다. 조금만 더 기울면 떨어질 것 같은데 손가락 한 마디 정도의 용기가 부족했다.

이것도 쉽지 않구나.

쓴웃음이 나왔다.

어디서 까마귀 소리가 들렸다. 그를 마지막으로 보았던 그날처럼 오늘도 까마귀 울음이 내 등허리를 아프게 쫀다.

국문장에서 사형을 각오했던 순간이 떠올랐다.

그때는 죽음이 두렵지 않았다. 그 죽음엔 의미가 있었다. 그러나 삶이 의미를 잃으니 죽음도 무의미해졌다.

절절히 깨달았다. 나는 특출하게 용감한 사람도, 대단한 사람도 아니었다. 그런 내가 무모할 정도로 용기를 냈던 까닭은 순전히 한 사람 때문이었다.

사랑하는 사람이 떠난 후 오히려 죽는 게 무서워지다니 우스운 일이다.

어쩌면 나는 늘 이렇게 아슬아슬하게 심연의 저편만 내다보며, 텅 빈 인간으로 살아갈 운명인지도 몰랐다.

환을 만나기 전의 내가 그랬듯이.

바람이 내 중심을 사정없이 뒤흔들었다.

몸이 조금 더 아래로 기운다고 느낀 순간이었다.

내 허리에 무언가 닿는다 싶더니 몸이 뒤로 확 끌려갔다. 등 뒤로 따뜻한 온기가 번졌다.

사람이다. 여기 올 사람은 없을 텐데. 뒤통수에 가슴팍이 닿는 것을 보면 남자인데. 환도 딱 이 정도 키였다. 안아주던 느낌도, 희미하게 번지던 체온도 꼭 이런 느낌이었다. 미쳤지. 이젠 온갖 데서 다 그를 찾는다.

이런저런 생각을 찢고 믿을 수 없는 목소리가 들렸다.

"오랜만이구나, 인화야."

나는 확 몸을 돌렸다. 순간적으로 다리의 힘이 풀려 뒤로 넘어가려는 것을 남자가 다시 잡아챘다.

"조심해야지."

코끝에 닿는 익숙한 체취에 나는 다시 고개를 들어 그 사람의 얼굴을 확인했다.

환이었다.

한성에서 마지막 헤어질 때랑 똑같이 말끔한 턱에 진청 도포를 입었다. 바닷바람에 도포자락이 요란히 펄럭였다.

내가 벌써 절벽에 떨어졌나? 이제 죽어서 환을 만나는 건가?

"이런 늦은 시간에 왜 여기 왔니? 가족들이 걱정하겠다."

무슨 소리를 하는지도 모르겠고, 무슨 상황인지도 모르겠다. 나는 정신없이 그의 뺨을 더듬었다. 바람에 조금 식기는 했지만 분명히 체온이 느껴졌다.

"나리."

"그래."

"저 혹시 죽었습니까?"

"살아 있지."

"그럼 나리는요?"

"나도 살아 있고."

"그럴 리가……."

내가 드디어 미쳤구나. 환이 죽었다는 사실을 너무 많이 부정하다보니 회까닥한 모양이다. 그래도 좋다. 맨정신으로 환 없이 사느니, 미쳐서 환상이라도 보는 것이 낫다.

"여기는 말을 나누기 좀 그러니 들어갈까?"

"예? 예."

얼떨떨한 채로 그를 따라갔다. 이것이 꿈의 한 자락이라면 이대로 깨지 않았으면 했다. 분명히 땅을 밟는데도 허공을 걷는 것처럼 둥둥 뜬 느낌이었다.

환은 방으로 들어가지 않고 마루에 앉았다. 내가 그의 옆에 앉자 그는 괜히 두세 뼘을 떨어진 곳으로 자리를 옮겼다.

"죽었다고 속인 건 미안하다. 아니, 미안하다는 말로는 부족하겠지만……. 그러지 않으면 정말 죽을 상황이었어. 너까지 위험해질 수도 있었고."

환은 믿을 수 없는 이야기들을 담담하게 이어갔다. 나는 아직도 이것이 꿈인지 생시인지 혼란스러웠다.

"다행히 내가 죽은 걸로 조정에서 믿은 바람에 목숨을 건지고 후백에서 머물렀지. 한성의 바람이 바뀌길 기다리면서."

막 피어난 이화의 향이 짙었다. 무릎에 올라간 환의 손이 덜덜 떨렸다. 눈으로도 보일 정도였다.

"추우십니까?"

"아직 봄밤이 싸늘하구나."

그는 양손을 맞쥐었지만 떨림은 멎지 않았다. 그렇게 추운 날씨는 아닌데 열이라도 있나 싶었다. 환은 내 시선이 신경 쓰였는지 손을 아예 등 뒤로 숨겨버렸다.

"네가 잘 지내고 있다는 소식은 들었다. 괜히 네 앞에 나타나서 뒤늦게 마음을 어지럽히기도 싫고 해서 원래는 그냥 몰래 보고 돌아가려 했지. 아까 바람이 그렇게 세게 불지만 않았어도 돌아가는 건데."

"바람이요?"

차츰차츰 환이 돌아왔다는 것이 현실로 받아들여지기 시작했다. 눈앞의 풍경은 분명 꿈이 아니었다. 선명한 현실이었다.

환은 살아 있다. 믿을 수 없지만 이렇게 내 앞에 있다.

그제야 호흡이 조금씩 편해졌다. 눈물이 눈앞을 흐리려는 걸 얼른 문질러 닦아냈다.

"바람에 밀려 네가 떨어질 것 같아서."

"태풍도 아니고 고작 그런 바람에 밀릴 리가 있습니까? 그저……."

일부러 그런 것이라는 말을 하려다 말았다. 그런 이야기는 하지 않는 편이 좋을 것 같았다. 나는 적당히 이야기를 돌렸다.

"그럼 아까도 절 보고 계셨습니까?"

"아까?"

"덕이 놈이 잡혀갈 때요."

나는 마을에서 묘한 시선을 느꼈던 일을 상기했다.

"아, 그랬지."

"어떻게 보고만 계셨습니까?"

"신나게 때리길래."

기가 막혀서 웃음이 나왔다. 누구는 자기 때문에 그 흙바닥을 치며 통곡했는데 그걸 보고만 있었다는 것 아닌가. 이 양반 진짜 너무한다.

"아무튼 앞으론 떨어지지 않게 조심하렴. 내가 잡아주는 건 오늘이 마지막이다."

냉담한 말이 가슴을 도려내는 것 같았다. 얼굴과 눈빛은 그대로인데 사람은 내가 알던 그 사람이 아닌 듯했다. 그래서 이 상황이 더 기가 막히고 꿈같았다.

"나리. 진짜 이거 꿈 아닙니까?"

"아니다."

"제가 미친 것도 아니겠지요?"

"그럼. 아주 멀쩡해 보이는구나. 예전보다 더 예……."

그는 갑자기 말을 뚝 끊더니 목을 가다듬었다.

"헷갈리게 머리도 예전 그대로고."

"아, 그냥 길어지는 대로 팔아먹어버렸습니다. 어차피 나리도 없는데 별 의미도 없고요."

사실은 홀로 긴 머리를 빗다 보면 그가 내 머리를 빗어주던 손길이 떠올라 서글펐기 때문이었다. 하지만 지금 기묘하게 거리를 두는 태도를 보니 빈정이 상해서 그런 다정한 말이 나오지 않았다.

가끔 이런 상상을 해보긴 했다. 사실 내가 본 시신은 다른 사람이고, 환은 살아 있다고. 어느 날 내 앞에 기적적으로 나타날지도 모른다고. 그러면 그를 부둥켜안고 울고 입 맞출 거라 생각했다.

하지만 막상 그 일이 현실로 일어나니 상상과는 전혀 다른 모습이었다. 인생이란 놈은 참 다양한 방식으로 배신을 한다. 하기야 근 오 년이나 못 잊은 내가 별종이고, 환이 정상일지도 몰랐다.

"의미가 없다니."

환은 쓴웃음을 지었다.

"나리는 전보다 좋아 보이십니다. 이제 목숨이 위험하시진 않은 거지요?"

"그래."

"유배도 풀리신 겁니까?"

"그렇게 됐지. 내가 왕좌로 돌아갈 일은 영영 없지만 적어도 자유로워지긴 했지."

이제야 환의 태도가 납득이 갔다. 그는 자신의 세계로 돌아간 것이다. 애초에 환과 나는 어울리지 않았다. 서운해서 눈물이 올라오는 것을 꾹 삼켰다. 환이 살아 돌아온 것만으로 감사해야 할 일이다. 더 무언가 바란다면 분수에 넘치는 짓이다.

나는 애써 그를 향해 미소를 보였다.

"뭐, 나리 말씀대로 감정은 사라지는 건가 봅니다. 다시 만나면 제가 울고불고 할 줄 알았는데 눈물 한 방울 안 나네요."

태평하게 말했지만 속은 아프게 들끓었다. 한 번 겉으로 균열이 일어나면 이 감정이 폭발할 것 같아 꽉꽉 억눌렀다. 한성에서 그를 보낼 때 울며 가지 말라 청한 것처럼 그에게 매달리고 싶었다.

하지만 이 감정도 결국 나만의 것이다. 이제 환은 나와 다른 세상의 사람이다.

어떻게든 스스로를 타일러보려 하는데 잘 되지 않았다.

그때 환이 자리에서 먼저 일어났다.

"이제 내려가자. 집 앞……. 아니다, 집 앞은 좀 그렇고 마을 입구까지는 바래다주마. 너무 늦으면 가족들이 걱정하잖니."

자상한 말투로 이렇게까지 사람 속을 후빌 수 있는 줄은 처음 알았다. 마지막 한마디에 참고 있던 서운함이 울컥 올라왔다.

"대체 아까부터 무슨 가족, 가족. 나리, 제 아비 죽은 것까지 잊으셨습니까?"

환은 놀란 눈으로 나를 바라봤다.

"그거야 기억하지. 하지만 남편이랑 아이들이 있지 않니."

"이건 또 무슨 미친, 귀신 씻나락 까먹는……."

나는 환의 앞이라는 것도 잊고 험한 말을 내뱉었다. 그가 움찔 동요하는 것이 눈으로 보일 정도였다. 한 번 새어 나온 감정은 곧 걷잡을 수 없이 폭발했다.

"한성에서 약 올리려 여기까지 오셨습니까?"

"아니, 나는, 어……."

"안유군 나리도 걸핏하면 저보고 혼인하라 참견질 하지 않나, 나리는 있지도 않은 가족한테 돌아가라 하질 않나. 절 놀리는 게 그렇게 재밌습니까?"

"……있지도 않아?"

환은 갑자기 내 곁에 앉더니 내 눈을 똑바로 내려다보았다. 보름달이 그의 옆얼굴을 환하게 비췄다.

"도대체 저한테 누가 있다는 겁니까?"

"그게……."

환이 머뭇거리다 입을 열었다.

"안유군은 네가 혼인해서 살고 있다고 내게 그랬는데."

"예?"

순간 뭘 잘못 들은 줄 알았다.

"그러니까 난 널 단념해야 하는 그런 상황…… 아니니?"

그는 정말로 어리둥절한 표정이었다.

수초의 침묵이 지나고 우리는 누가 먼저랄 것도 없이 서로를 끌어안고 입을 맞췄다. 그의 혀가 거칠게 입술 사이를 헤치고 들어왔다. 봄바람이 이화나무를 흔들며 향기를 흩뿌렸다.

환의 몸이 내 위로 무너졌다. 그는 마루에 나를 눕힌 채 한참이나 입을 맞추다 무언가 참으려는 듯 내 아랫입술을 앞니로 긁었다.

자세한 연유 같은 것은 후에 들어도 좋았다. 우리는 그저 서로가 갈급했다.

그는 입술을 떼고 나를 망설이는 눈으로 내려다보았다.

"만나자마자 이것부터 하는 건 좀……."

"순서가 중요합니까?"

"아니, 생각해보니 중요하지 않은 것 같구나."

잠깐의 망설임이 우습게 그의 손이 옷 안을 파고들었다. 나는 그의 옷깃을 당겼다. 그가 웃으며 나와 이마를 맞댔다. 코끝이 서로 뭉개지는 느낌이 좋았다.

"당연한 소리겠지만……."

그의 손이 옷 위로 내 가슴을 감싸 쥐었다. 긴 손가락이 여전히 가슴을 다 감싸고도 한참 남았다.

"그동안 벌써 사 년이 넘게 흘렀잖니."

나에게 긴 시간이었던 만큼 그에게도 긴 시간이었을 것이다.

"마지막 날 했던 약속 기억하니?"

잊었을 리가.

"내가 돌아오면……."

"같이 살자 했지요."

"너무 우여곡절이 많아서 그 약속을 지켜달라고는 못 하겠구나."

그가 쓰게 웃었다.

"다시 청해도 될까?"

"전 여전히 나리가 좋아요."

환은 또 짐짓 토라진 체 했다.

"그렇게 부르지 말래도."

"산."

그의 표정이 금방 사르르 녹아내렸다. 저 보드라운 눈꼬리를 보면 내 마음도 같이 녹는 것만 같다. 모났던 곳도 움푹 파였던 곳도 모두 뭉그러져 둥근 솜뭉치처럼 보송보송해진다.

"당신이 좋아요."

이제 이런 말은 억 번도 더 할 수 있다.

"난 좋은 게 아니라 사랑하는데."

"그게 그거지……."

내 작은 중얼거림을 들었는지 그가 웃었다. 환은 내 목덜미에 입을 맞췄다. 밤공기 때문에 그의 입술이 한결 뜨겁게 느껴졌다.

환은 옷을 벗었다. 그의 몸에는 긴 흉터가 군데군데 남아 있었다. 나는 검지로 어깨에 난 상흔을 훑었다. 그곳에 남은 지난 세월을 읽어보려는 듯이. 그는 치마를 들추고 속옷 위로 음부를 긁었다. 젖은 아래에 속옷이 들러붙어 까끌까끌했다. 이미 몸은 그를 받아들일 준비가 완전히 끝나 있었다.

"꿈꾸는 것 같습니다."

"나도."

"깨면 어쩌지 겁이 납니다."

"안 깨면 되지."

그는 내 속옷을 어정쩡하게 허벅지까지 내린 후 다리를 들어 올렸다. 다리에 걸쳐진 옷 때문에 허벅지가 벌어지지 않았다. 내가 옷을 마저 내리려 했더니 환이 내 손을 떼어냈다.

"그대로 있으면 돼."

낯선 자세가 어색해서 아랫배까지 밀려올라온 치맛자락만 만

지작거렸다.

"지금 넣으면 못 참을 거 같거든."

그는 내 다리를 끌어안았다. 다리 뒤편으로 환의 탄탄한 상체가 느껴졌다. 내가 기억하던 것보다 근육이 붙어 사내다운 느낌이 물씬했다. 이미 질척한 액체가 번진 허벅지 사이로 뜨거운 성기가 들어왔다.

다리 사이에 기둥이 비벼지며 아직 열기가 가시지 않은 음부를 마구 문댔다. 뭉툭한 성기의 끝이 갈라진 살 틈을 파고들어 잔뜩 열이 오른 부분을 건드리고 지나갔다. 정신이 아득해졌다. 내 반응을 알아챘는지 환은 더 집요하게 그곳을 눌렀다.

"산……."

오랜만에 맛보는 쾌락은 빠른 속도로 몸과 정신을 잠식했다. 환의 숨도 점점 가빠지고 있었다.

"아……."

정신이 까마득해졌다. 무서울 정도로 좋아서 몸이 떨렸다.

다리를 안고 있던 환의 팔에 힘이 들어갔다. 순간 뜨거운 액체가 옷 위로 왈칵 쏟아졌다. 환은 파정을 마치기 무섭게 내 다리 사이에 자리를 잡았다.

그는 지저분해진 내 옷을 성급하게 벗겨냈다. 조심성 없는 손길에 여밈 부분이 찢겨나갔다. 차가운 밤공기가 맨 가슴에 닿았다. 냉기 때문인지 흥분 때문인지 가슴 끝이 바짝 섰다.

흰 달빛이 그의 허리의 굴곡을 비추었다.

환은 내 가슴골에 입을 맞췄다. 잠시 가슴을 주무르던 손이 이내 아래로 내려가 허리를 쓸었다. 열기가 가시지 않은 몸은 작은 자극에도 흠칫흠칫 반응했다.

오랜만에 만난 환은 이전보다 훨씬 인내심이 없었다. 길지 않은 애무 후 그는 아래에 성기를 맞췄다. 미끄러운 입구에 잠깐 선단이 미끄러진다 싶더니 가차 없이 안으로 밀려들어왔다. 젖어 있는데도 아래가 빼근하고 아팠다.

분명히 안이 욱신거리는데도 동시에 황홀했다. 시야가 아른아른하게 흐려졌다.

그는 내가 이물감에 채 적응하기도 전에 거칠게 왕복을 시작했다. 아래를 쳐올리는 힘에 까무러칠 듯했다.

목덜미에 그의 입술이 닿았다. 코끝에 어렴풋이 내가 좋아하던 그의 체취가 스쳤다. 기억하던 그대로의 향기가 오랫동안 머릿속에 박혀 있던 부패한 악취를 몰아낸다. 이것이 현실이라고 확인시켜주듯. 긴 악몽을 부정하듯.

"읏, 조금만 천천히……."

나는 몰아치는 쾌락에 허우적거리며 애원했다.

"아……. 이래도 자제가 안 돼."

환은 그저 혼잣말 같은 한마디를 중얼거렸을 뿐 내 부탁을 들어주지 않았다. 더 참지 못하고 소리를 내질렀다. 아래에서 한 뼘

한 뼘 번져오던 쾌락이 곧 전신을 잡아먹는다. 도망치려 할수록 끈질기다.

"아, 아……."

손끝이 덜덜 떨렸다. 아랫배에서 크게 맥박이 뛰었다. 결국 나는 무방비하게 그가 이끄는 대로 쾌감에 몸을 내던졌다.

안에 들어온 물건이 더 커지는 느낌이 들었다. 배 속 깊은 곳에 콱 물렸던 성기가 내벽을 무참히 긁으며 자극했다. 그때마다 정신이 아득해졌다.

환은 내 몸 위로 무게를 실었다. 젖가슴이 그의 상체에 뭉개졌다. 나는 그의 몸을 꽉 안았다. 날카로운 인상은 무뎌지고 애욕에 젖은 눈동자가 내 위에서 흔들렸다.

"네가 좋아."

그가 내뱉는 말은 너무 뜨거워서 내 속 어딘가에 불을 지피는 듯했다.

나도 그가 좋았다. 여전히, 아니, 이전보다 더.

"저도요."

나는 가쁜 숨을 내쉬며 간신히 한마디를 성하게 내뱉었다.

"읏……."

환은 눈을 질끈 감고 낮은 신음을 터트렸다. 우리는 각자의 절정을 못 이겨 서로의 몸을 부술 듯 끌어안았다.

아래로 뜨거운 액체가 흘러나와 엉덩이 골을 타고 흘렀다.

입술이 맞부딪쳤다. 긴 입맞춤 뒤 그는 몸을 일으켜 아래를 너듬었다. 질구는 여전히 파르르 전율하고 있었다. 그의 손끝이 그곳에 가볍게 닿았다.

"더 하고 싶은 거 같은데."

"으……."

순순히 인정하고 싶지 않아서 입술만 잘근거렸다. 환은 슬쩍 웃더니 손가락을 한 마디 정도 넣었다. 부족한 자극에 애가 탔다.

"아니야? 꽉 조이는데."

"어차피……."

"응?"

"어차피 하고 싶은 대로 하실 거면서."

내 투정에 그의 눈매가 조금 더 호선을 그렸다. 한없이 다정해 보이는 얼굴이지만 오늘 환은 내겐 다소 벅차다. 그래도 저 미소를 보면 도저히 그를 거절할 수가 없다.

"하고 싶은 대로 다 해주려고?"

"오랜만이니까 오늘은……."

"내일부터는?"

"안 돼요. 부서질 거 같아……."

"그래. 내일부턴 아껴줘야지."

마치 큰 아량이라도 베푸는 듯한 말투가 얄밉다.

"엎드려볼래?"

그의 말에 나는 뒤돌아 팔로 상체를 받치고 엎드렸다.

그의 손이 몇 번 둔부를 주무르다 음부를 벌렸다. 찬바람이 달아오른 곳을 스치자 몸이 떨렸다. 무언가 흘러나오는 느낌이 나더니, 마루에 후드득 액체가 떨어지는 소리가 들렸다. 그가 아까 파정한 것이 새어나오는 모양이었다. 귓가가 화끈거렸다.

하지만 그의 성기가 아래를 뚫고 들어오는 순간, 얕은 수치심은 금방 휘발되어버렸다.

"흣……."

아까보다 더 깊은 곳까지 닿아 아릿했다. 그는 내 골반을 꽉 쥐고 몸을 움직이기 시작했다. 등을 돌리고 있는 탓에 아래의 자극으로만 그를 느낄 수 있었다. 나는 어떻게든 그를 확인하고 싶어 아래의 쾌감에 더 매달렸다.

그가 몸을 뒤로 빼면 질벽은 다시 그 물건을 당기고 싶어 멋대로 움찔거렸다. 빠져나갔던 음경이 빨려들어왔다. 선명하게 느껴진다.

그는 내 몸이 밀려날 정도로 강하게 아래를 쳐올렸다. 힘을 견디지 못하고 팔이 꺾였다.

날 어떻게 하고 싶은 건지, 몸이 무너져 내리는데도 환은 점점 거세게 아래를 박아댔다.

"흐, 몸이 부서질 것 같아……."

견디지 못하고 애원하자 환은 움직임을 멈추더니, 나를 뒤에서 끌어안았다. 등을 뜨겁게 데우는 체온이 노곤했다.

그는 내 양 젖가슴을 쥐고 유두를 매만졌다. 어깨에 그의 입술이 닿았다. 그는 그대로 잠시 숨을 고르며 유두를 부드럽게 꼬집었다. 아프지는 않았지만 그래서 오히려 애달팠다.

계속되는 미지근한 자극에 나는 아래에 바짝 힘을 줬다. 내벽은 아플 정도로 그의 움직임을 갈구했다.

"너무 물어대지 말고……."

희락에 젖은 음성이 흘러나왔다. 무엇이 낯 뜨거운 말인지, 남세스러운 자세인지 그런 것은 분간할 정신도 없었다.

아래에 물려 있던 기둥이 미끄러지기 시작했다. 두터운 물건이 사정없이 예민해진 내벽을 눌러댔다. 지난 시간 못 다한 쾌락을 오늘 모두 해소해버리겠다는 듯 맹목적이었다. 젖가슴을 가볍게 쥐고 있던 그의 손에 점점 힘이 들어갔다.

이럴 때 나는 그가 나를 사랑한다는 걸 느낄 수 있다. 아니, 사랑할 수밖에 없다는 걸 느끼고 안심할 수 있다.

"흣, 산, 더 세게……."

나는 흐느끼며 그를 더 갈구했다.

허벅지 안쪽으로 내가 흘린 미끌미끌한 액체가 줄줄 흘러내렸다.

아득한 쾌감이 벼락처럼 내리쳤다.

결국 제대로 된 이야기는 아침 해가 밝을 때나 들을 수 있었다. 방은 늘 내가 깨끗이 청소해두었기에 먼지 하나 없었다. 우리는 서로를 끌어안고 누워 서로의 시간을 나눴다.

"어떻게 됐던 겁니까? 습격은……."

"처음부터 좌상은 돌아오는 길에 날 죽일 생각이었어. 그 사실을 눈치채고 후백의 왕과 이야기를 해뒀지. 그들이 날 급습하기 전에 내가 먼저 쳤다. 그리고 적당한 시신을 바꿔치기해서 보낸 거고."

"저한테라도 알려주시지……."

"네가 뭔가를 알고 있는 기색이면 분명 널 잡아 문초할 테니까."

환의 말이 옳기는 했지만 그래도 섭섭한 것은 어쩔 수 없었다.

"아무리 생각해도 사 년은 너무 길었습니다."

"그러게 말이다. 나도 이렇게 걸릴 줄은 몰랐지."

안유군은 내가 한성을 떠난 이듬해 봄, 환과 연락이 닿았다. 공녀들이 돌아왔다고 후백과의 문제가 깔끔히 끝난 것은 아니었다. 조정은 여전히 친연파가 득세하고, 그런 세태를 뻔히 아는 후백의 왕이 불만을 품은 것은 당연했다. 대국의 정세가 이미 뚜렷이 기운 상황에서 더 큰 비극을 막으려면 환은 그곳에 머물며 할 수 있는 일들을 모두 해야 했다. 이 모든 일을 한성에서는 몰랐다.

안유군은 서신을 통해 환에게 내가 섬에 내려갔으며 거기서 다른 남자와 혼인했다 전했다. 아마 환이 나를 신경 쓴 나머지 그곳에서 일을 진행하지 못할까 염려한 것 같다고 환은 덧붙였다. 환이 꾸준히 내 안부를 묻는 바람에 안유군의 거짓말은 점점 불어났다. 환이 몰래 귀국했을 때, 그는 내가 혼인도 하고 아이도 있다고 알고 있는 상황이었다.

만나고는 싶었지만, 잘 살고 있는 내가 괜히 심란해할까 봐 보지 않으려 했단다.

"그런데 너무 단념이 안 되더구나."

환이 쓰게 웃었다.

거기다 안유군은 그 까짓거 뺏어버리면 그만이지 않느냐며 되도 않은 소리로 환을 등 떠밀어 섬으로 보냈다. 환은 차마 그럴 수는 없어 멀찍이서 지켜보고만 가야겠다 생각했다는 것이다. 아무래도 안유군은 자기가 거짓말을 했다는 걸 밝히기는 싫고 그냥 두기는 찔린 모양이다.

"이젠 마음 놓고 멱살도 못 잡고 때리지도 못할 텐데."

환이 안유군 얘기를 하다 분한 듯 중얼거렸다.

"왜요?"

"이젠 내가 함부로 손댈 수 없는 사람이니까."

"무슨 소립니까?"

내 반응에 환은 잠시 눈을 깜빡이다 탄식했다.

"이 섬은 참 소식이 늦어."

"예?"

"왕좌의 주인이 바뀌었단 뜻이다."

"아……."

이 나라는 이제 망한 건가. 진심으로 걱정이 되었다.

"그래도 어제는 정말 나리께서 너무 섭섭하게 대하셔서 울 뻔했습니다."

"그건 안유군의 거짓말 때문에……."

환은 재회한 순간의 이야기를 꺼내자 미안해서 어쩔 줄을 몰랐다. 그런 표정을 지어봤자 아직 꿍한 게 풀리지 않았다.

"제가 나리를 두고 다른 사람과 혼인할 것 같았나 봅니다?"

"아니, 그건 내가 애초에 죽었다고 널 속였으니 그럴 수도 있다 생각했지."

"그래서 쉽게 정리가 되셨습니까?"

"안 되니까 여기까지 왔지. 솔직히……."

그는 말을 바로 잇지 못하고 망설였다.

"안유군이 말한 대로 해버릴까 갈등도 들었는데……."

그 말을 듣자 마음이 스르르 풀렸다. 환이 나를 약간은 지나칠 정도로 사랑해주었으면 좋겠다.

나는 계속해서 토라진 척 입술을 비죽였다.

"이제 와서 그런 말씀하신다고 서운한 게 사라질 것 같습니까?"

"그럼 두고두고 사과하면 네 마음이 풀어질까?"

"예, 뭐, 한 십 년 정도."

내가 생각해도 참 허튼소리다 싶은데 환은 그걸 또 웃으며 들어주었다.

"그래, 그럼 십 년 정도는 사과해야겠구나."

그러더니 웃음기를 거두고 짐짓 눈살을 찌푸렸다.

"아무래도 당분간은 여기서 지내야겠다. 한성으로 돌아가서 새로운 주상을 만나면 못 참고 주먹을 날릴 거 같아서. 또 유배 가기는 싫거든."

환은 장난스럽게 말한 후 슬며시 눈웃음을 지었다.

"아무데도 가지 말고 여기서 나랑 살자, 인화야."

"전 오늘 청보리 수확을 도우러 가야하는데요."

내 말이 끝나기 무섭게 그가 팔로 나를 꽉 옭아맸다.

"나리, 코 눌려서 아파요."

그는 좀 웃었지만 힘을 빼지는 않았다.

"가지 마."

작게 귓가에 속삭인 후 그는 팔을 느슨히 풀었다.

"이제 이렇게 졸라도 되겠지?"

그렇게 말하는 그의 눈가에는 어쩐지 눈물이 맺혀 있었다.

나는 그날부터 환과 함께 살았다.

바람은 스치고 꽃은 지고 해와 달은 번갈아 저물어도, 환은 늘 내 곁에 있었다.

우리는 예전처럼 거친 탁주를 나눠 마시기도 하고, 바닷가를 거닐기도 했다. 내가 나무토막을 주워다 동물 조각을 만드는 걸 보고 그도 해보고 싶다며 끼어들었다가 손가락을 벤 것만 제외하면 대체로 무사했다.

환이 좋아하는 봄이 지나고 여름이 왔다. 한성에서 이제껏 기별이 없는 것을 보면 이대로 쭉 지내면 되는 것 아니겠냐고 환은 속 편한 소리를 했다.

새하얀 모래 위에 여름 햇살이 부서졌다. 산란한 빛을 싣고 파도가 넘실댔다. 우리는 바다의 한가운데까지 손을 잡고 걸어들어갔다. 나풀나풀한 옷자락이 맑은 물속을 자유롭게 유영했다.

환은 먼 북쪽을 보고 섰다. 그곳은 한성의 방향이었다. 나는 그의 곁에 나란히 섰다. 바닷물이 가슴 아래에서 찰랑였다.

"한성이 그리우십니까?"

"전혀."

환은 나를 내려다보며 부드럽게 입꼬리를 당겼다. 그의 눈동자를 보고 있으면 아무것도 슬프지 않았다. 지난 세월도 억울하지 않았다. 향기로운 술에 취한 것처럼 마음이 나긋해졌나.

"한성에 비하면 여기는 너무 조용하고 심심하지요."

"네가 있는데 지루할 것은 없지."

"전 좀 지루한데."

"내가 있는데도?"

환이 진심으로 토라진 것 같아서 농담이라 얼른 얼버무렸다.

"그럼 아이가 있으면 어떨 거 같으세요?"

"아이?"

환은 잠시 먼 수평선을 바라보더니 고개를 저었다.

"별로. 네 모친이 난산으로 죽었다는데, 그런 일은 없었으면 하는구나."

"그런가요?"

"그리고 당분간은 네 관심은 내가 독차지하고 싶거든."

이럴 때 보면 환은 참 철이 없다.

"그래도 생길 수도 있잖아요."

"그럼 뭐, 그때 가서 생각하지."

환이 시큰둥하게 대답했다.

절로 웃음이 나왔다. 설마 이런 반응일 줄이야. 아무래도 지난달 달거리를 걸렀다는 이야기는 조금 더 시간이 흐른 뒤에 해야 할 것 같았다. 환은 내 웃음의 의미도 모른 채 마주 웃었다.

『절벽에 뜬 달 下』 마침

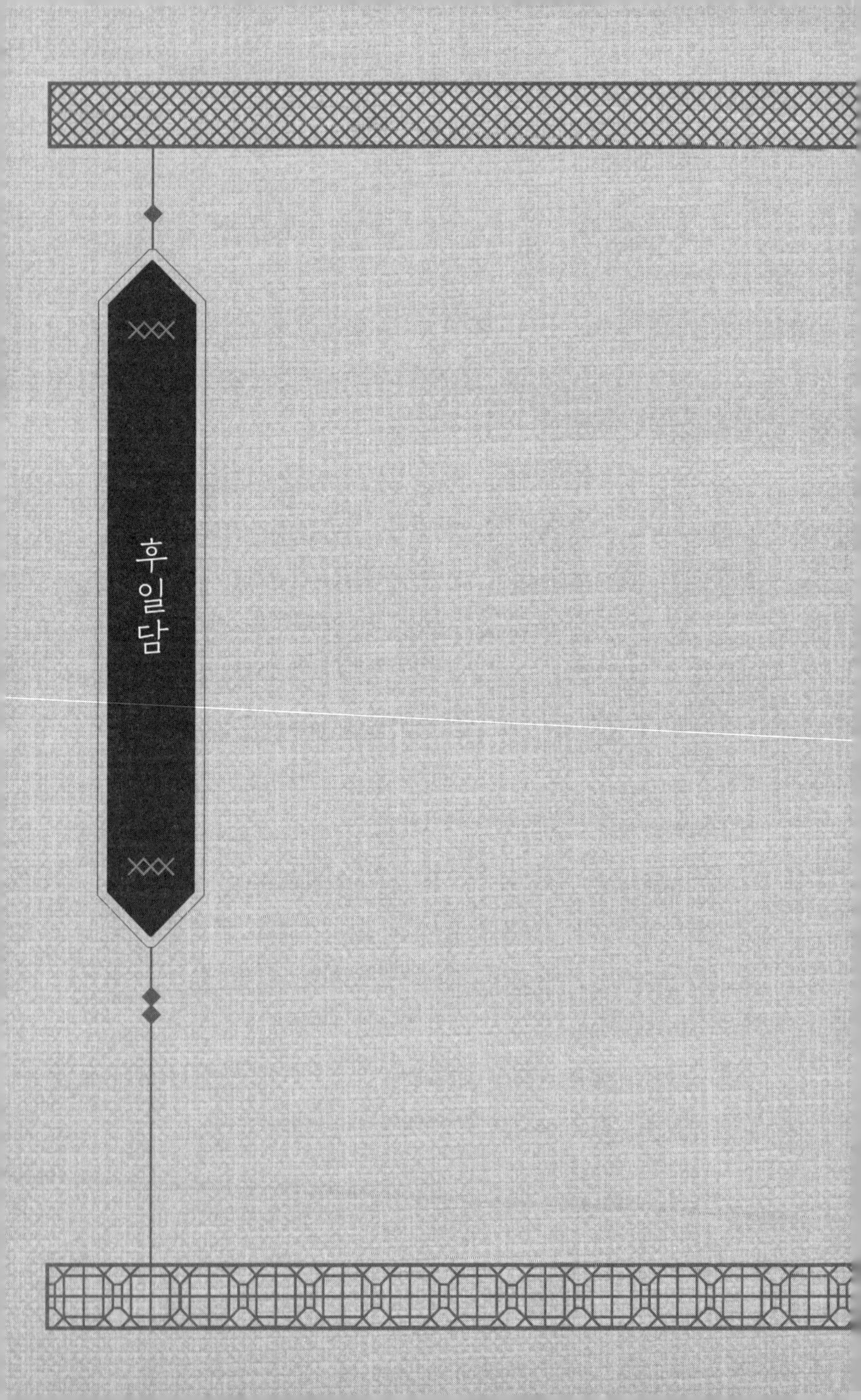

후일담

아마 세상을 떠나는 날도
이 목소리를 들으면
속이 울렁일 거라 생각했다.

다행히 아이는 건강하게 태어났다.

나에게도 환에게도 첫 아이였다. 늘 망망대해를 표류하는 것 같던 두 사람에게 그날은 새로운 출발점이었다.

환에게 처음 아이가 생겼다는 소식을 전한 날은 나도 제법 떨렸다. 역시 탐탁지 않아 할까 걱정했는데, 환은 뜻밖에도 내 말에 눈물을 비칠 정도로 기뻐했다. 그렇게 좋아할 거면서 대체 왜 심드렁했는지 모르겠다. 내가 의아해서 물었더니, 환은 원래 사람은 닥치고 나서야 자기 마음을 아는 거라 변명했다.

안유군에게 서신으로 임신 소식을 전했다. 가을 무렵 그에게서 아이 이름은 자신이 지어주겠다는 답신이 왔다.

"자기가 뭔데 내 애 이름을 지어? 주상이면 다인가? 나도 이런 짓은 안 했는데."

환은 어이가 없다는 듯 고개를 젓고 답장을 쓰지 않았다.

그런데도 안유군, 그러니까 새로운 주상은 편지를 연달아 세 통이나 보내며 자신이 생각하는 좋은 이름들을 수십 개 늘어놓았다.

"이런 게 폭정이지."

환이 혀를 쯧쯧 찼다.

환은 안유군의 말은 깡그리 무시해도 좋으니 내게 직접 이름을 붙이라 했다. 잠든 얼굴을 가만히 내려다보다 곧 이름을 떠올렸다.

"새벽이라는 뜻의 신이晨 좋겠습니다."

"새벽?"

"예. 동녘이 트는 순간이 가장 벅차지 않습니까?"

환은 잠시 말이 없다가,

"그래. 이 순간처럼."

하고 미소를 띠었다.

아이가 태어난 후에도 안유군에게서 심심하면 서신이 왔다.

이맘때면 해산을 했을 테니 자세한 소식을 좀 전해달라는 거였다. 보고 싶지만 여기까지 올 수 없으니 최대한 상세히 설명하라는 말이 어명으로 덧붙여져 있었다.

"웃기고 있네, 이거."

환이 코웃음을 쳤다. 아무리 한성까지 들리지 않는다지만 주상에게 좀 너무한다.

그는 아이와 내가 건강하다는 말과 아들이라는 소식만 적어 보냈다.

그게 퍽 불만이었는지 한성으로 소환령이 떨어졌다. 아이가 조금 자랐을 이듬해 봄이면 상경하란다.

초봄, 환과 나는 다시 섬을 떠났다.

"가면 새 주상이 또 무슨 시비 트는 것 아닌지 모르겠습니다."

밤배로 섬을 떠나며 내가 농을 던졌다. 아이는 파도를 요람삼아 잘 잤다.

"안 그랬으면 좋겠구나. 이젠 때릴 수도 없는데."

환이 뒤편에서 내 허리를 끌어안았다. 우리는 멀어지는 섬을 한참이나 바라보았다.

"떠나니 서운하니?"

환이 속삭였다. 나는 그의 손등 위에 손을 얹었다. 이 사람과 함께라면 어디서 늙어간들 좋으리라 생각했다.

"아니요."

고향을 떠나는데도 서운한 감정 한 톨 없었다. 저곳에서 환과 함께한 시간은 분명 빛나고 아름다웠다. 하지만 어디를 가든 그와 함께라면 그런 시간들이 기다리고 있음을 안다.

"참 신기하지 않습니까? 꽃은 한 철이면 지고, 강산도 계절마다 변하는데, 사람의 감정 같이 손에 잡히지도 않는 것이 가장 오래간다는 게요."

"그러게 말이다. 꽃은 지고, 강산도 변하는데."

환은 가만히 내 목덜미에 뺨을 댔다. 스미어오는 열기가 바닷바람의 냉기를 잠재웠다.

"그래서 내가 꽃은 싫다 하지 않았니. 꽃은 져버리니까."

"사람의 마음이란 것도 꽃처럼 언젠가는 시들까요?"

"글쎄다. 꽃은 져도 꽃의 아름다움은 남지."

그래서 환은 내 이름에 꽃이 아닌 아름다움을 붙였는지도 모른다.

나는 하늘의 달을 올려다보았다. 섬은 점점 멀어지는데 달은 줄곧 우리를 따르고 있었다.

"섬을 떠나도 달은 계속 따라오네요."

"그래. 우리가 어딜 가든 따라온단다."

이왕 따라나선 거 영원히 우리를 비춰줬으면 싶었다.

"산."

그의 이름을 괜히 불러보니 눈물이 났다. 미지근한 입술이 내 귓가에 닿았다.

"인화야."

그 역시 다정히 나를 마주 불렀다. 언제 들어도 좋은 목소리였다. 아마 세상을 떠나는 날도 이 목소리를 들으면 속이 술렁일 거라 생각했다.

밤배는 물살을 넘실넘실 갈랐다.

절벽에 뜬 달도 밤배를 따라나섰다.

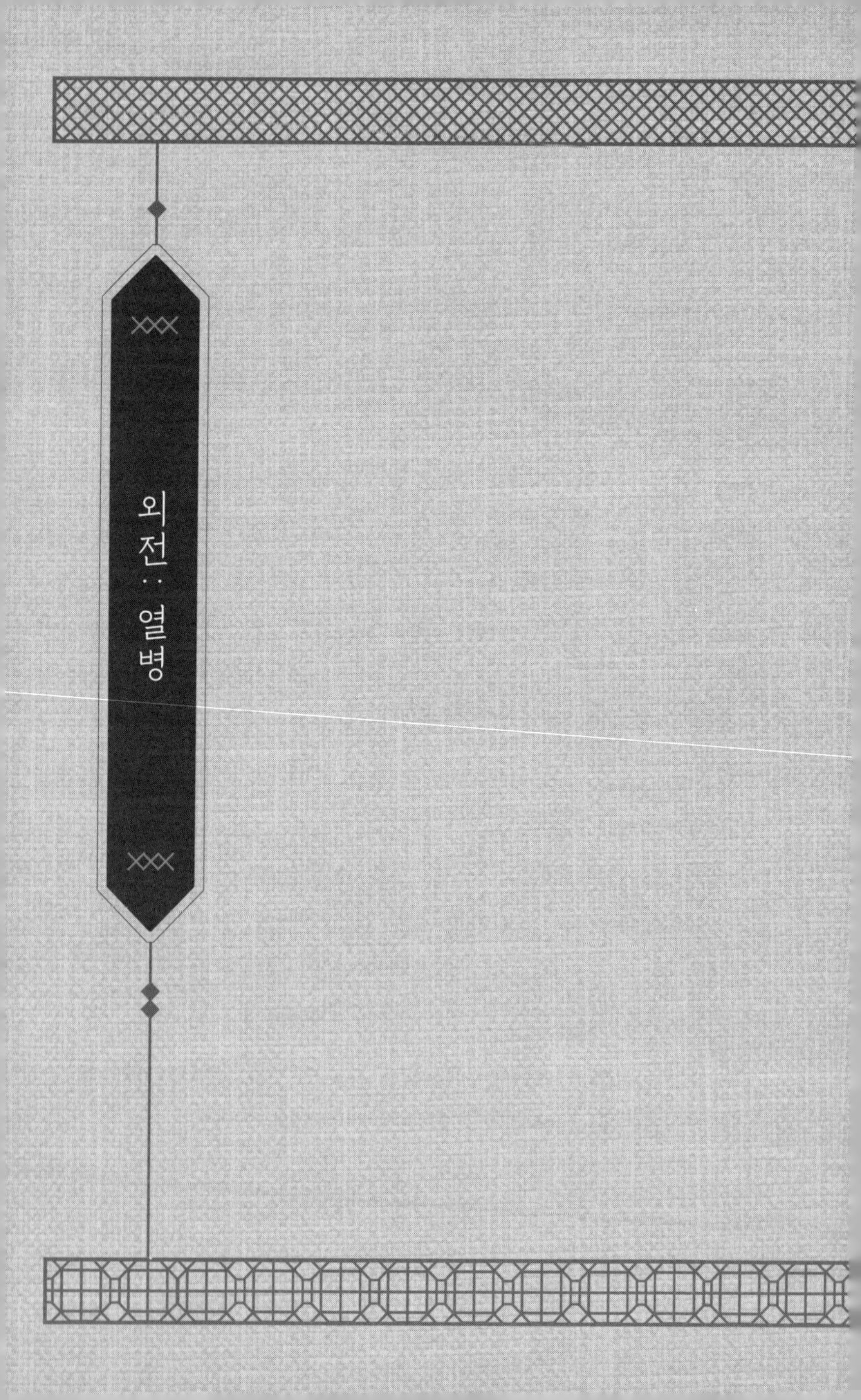

외전: 열병

인생의 가장 아름다운 순간은

예고 없이 온다.

막을 수도 없고, 뒷걸음질 칠 수도 없다.

심해에서 올라온 어둠이 수면까지 검게 물들였다. 그믐밤 파도는 혼백을 집어삼킬 듯 거칠었다. 간신히 배의 난간에 기대어 그 파도를 쉼 없이 응시했다. 멀미가 나는데 속은 도리어 차분해진다.

선미에 부서지는 파도에서 눈을 떼고 고개를 들었다. 멀어지는 부두를 밝히는 미약한 등불 하나가 깜빡깜빡 하더니 이내 꺼져버린다.

돌아갈 수 없는 땅이다.

사방이 어둡이고 파도만 운다.

밤바람이 찼다. 소매를 타고 올라온 냉기에 소름이 돋았다. 저 어둠 속에 몸을 던져도 이제는 말릴 사람 하나 없다.

외로움이 폐부를 찌르는 것 같다.

머리 위로 새 하나가 바람을 거슬러 육지로 날아간다. 힘차던 날갯짓을 곧 암흑이 집어삼켜버렸다.

섬까지는 꼬박 나흘이 걸렸다. 그동안 나는 울지도 몸을 던지지도 않았다. 떨어진 낙엽이 바람에 구르듯 그저 이 작은 배에 몸을 싣고 떠내려 왔다.

섬은 내가 예상하던 것보다 넓었다. 섬의 가운데에는 이제 불꽃이 일지 않는 화산이 덩그러니 자리했다. 해안가에 오밀조밀한 마을들도 보였다. 얽히고설키어 살아가는 저 사람들에게 나는 불청객이다.

나흘 만에 밟는 땅이건만 반갑지 않았다. 이 땅은 저 먼 육지와는 다르다. 바다 위에 뜬 외로운 감옥일 따름이다.

나를 이 섬의 관원들에게 인도하고 배는 곧장 떠나버렸다. 그 배를 돌아보지 않은 것은 마지막 자존심이었다.

관원들은 나를 해안가의 절벽 위로 데려갔다. 마을과는 제법 떨어진 곳인지 민가라고는 없었다. 절벽 위에 작은 초가집이 보였다.

좋다.

떨어진 낙엽이 홀로 부패하기에 딱 알맞은 곳으로 보내주었구나.

초가에 당도하자 누군가 긴 창을 들고 그 앞을 지키는 모습이 보였다. 무언가 이상해서 그 아이를 골똘히 보았다.

남복을 하였지만, 기껏해야 내 가슴팍에나 키가 닿을 것 같은 여자애였다. 낡아빠진 군졸 옷은 너무 커서 소매가 손등을 다 덮었다. 군모도 이마를 다 덮은 모습이 마치 광대가 미숙한 분장을 한 것 같았다.

그 애는 내 얼굴을 힐끔거리더니 눈이 마주치자 고개를 숙였다.

왜? 네가 보기에도 내 처지가 우습니?

나는 별 말 없이 그 애를 지나쳐 초가로 들어갔다.

작은 방문을 닫고 들어가 완전히 혼자가 되자 비로소 울 수 있었다. 행여나 소리가 새어나갈까 입을 틀어막았다. 나는 울어서는 안 되는 사람이었기 때문이다.

그날 밤은 눈을 붙이지 못했다. 아무리 억울하여도 현실은 바뀌지 않는다. 그걸 알면서도 편히 잠을 청할 수가 없었다.

술이라도 있었다면 좋았을 것을.

아침이 되자 밖에서 부스럭거리는 소리가 났다. 문을 슬쩍 열어보니 어제 그 여자애가 와서 보초를 서고 있었다.

여자애가 역을 지는 법은 어디에도 없었다. 그 사연이 궁금하기도 했지만 괜히 말을 걸고 싶지 않았다. 말을 걸어봤자 다 부질

없는 일이다. 어설프게 말을 섞어봤자 피로하기만 하다.

그러다 어제 저 애가 나를 이상하게 보던 눈빛이 떠올랐다.

속에서 자격지심이 치밀었다.

나는 방을 나와 무작정 담벼락까지 걸어갔다. 담벼락에는 가시덤불이 촘촘히 둘러져 있었다. 그래도 작은 앞마당까지 있으니 참 사치스러운 감옥이었다.

내 기척을 느끼고 그 애가 나를 돌아보았다. 모자챙이 그 애의 얼굴에 둥글게 그늘을 그렸다. 머리칼 몇 가닥이 둥근 눈과 가는 눈꼬리까지 흘러내려 있었는데, 이목구비가 어린 토끼를 연상시켰다. 상민들이 흔히 그렇듯 피부는 그을려 고운 모래 빛이었다.

생각한 말을 내뱉으려 했다. 이 이유 없는 울분을 어딘가 쏟아내지 않으면 미쳐버릴 것 같았다.

말해봐. 내 지금 꼴이 얼마나 버러지 같은지.

하지만 그 애의 눈동자를 보는 순간 그런 말은 쏙 들어가버렸다.

그제야 깨달았다. 어제도 이 애는 나를 이런 눈으로 바라보았다. 어떤 사심도 없이, 어찌 보면 천진하고, 조금은 무심하다 싶은 눈으로.

그 눈빛에 오욕을 뒤집어씌운 것은 나였다.

정말 못났다. 자리만 잃은 게 아니라 모든 것을 잃었구나.

그 애는 다시 고개를 돌려 나를 외면했다.

"아가. 너 왜 여기 있니?"

결국 나는 생각과는 전혀 다른 말을 던졌다.

"무슨 말씀입니까? 저는 제 할 일을 하는 건데요."

다분히 퉁명스러운 말투였지만 적의는 느껴지지 않았다.

"계집아이가 왜 여기서 역을 서냐는 말이야."

"제 아비가 병신이라 대신 서는 겁니다. 안 서면 맞아 죽으니까요."

그런 사연으로 역을 질 수 없다면 응당 다른 이에게 역이 넘어가야 한다. 하지만 이 작은 마을에는 그런 법이 지켜지지 않는 모양이었다. 중앙의 감시가 소홀한 먼 지방에서는 수령이 주먹구구식으로 역을 운용하는 일이 왕왕 있다 들었다.

그렇다고 해도 하필 나를 감시하는 일에 이 아이를 붙일 게 뭔가. 도망가려면 얼마든 도망가겠다.

"그럼 여기는 너 혼자 지키니?"

"왜요? 도망가시렵니까?"

그 애가 내 생각을 읽기라도 한 것처럼 물었다. 경계하는 눈빛으로 창까지 고쳐 쥐는데 그 자세가 너무 서툴러서 웃음이 나왔다.

내가 도망갈 생각이 없단 것을 밝히자 그 애는 조금 긴장을 풀었다. 내친김에 술을 사다달라 부탁했다. 들어줄지는 모르겠지만 억지로 돈도 쥐여주었다. 순간 이 애가 돈을 어디 딴 데 쓸지도 모른다는 생각도 들었지만 어차피 내게는 큰 의미 없는 푼돈이었다.

다음 날 그 애는 정말로 술을 사들고 왔다. 평생 먹어본 적 없는 거친 탁주였다. 한 사발 들이켜니 제법 취기가 돌았다.

한 번도 취할 정도로 마셔본 적이 없기에 몰랐다. 술은 마음을 달래주는 법이 없다는 걸.

술을 마실수록 속이 점점 허해지는 기분이었다. 마음의 바닥에 큰 구멍이라도 뚫린 것 같았다. 그 구멍에서 기어 올라온 어둠이 내 온몸을 집어삼킨다.

"나리."

그때 갑작스럽게 들린 목소리가 사념을 깼다.

"응?"

나는 벽에 기대고 있던 몸을 일으켰다.

"내일부터는 안줏거리도 사다드릴까요? 술만 드시면 속 버리십니다."

"아, 그래. 그거 좋겠구나."

방에서 동전을 좀 가져와 다시 그 애에게 건넸다.

"이 정도면 되겠니?"

"예. 충분할 것 같습니다."

그 애는 돈을 챙기고 다시 먼 절벽을 보고 섰다. 나는 비틀거리며 마루로 돌아오다, 문득 뒤를 돌아보고 물었다.

"이무기는 허물을 벗고 용이 된다는데, 허물을 벗은 용은 무엇이 될까?"

술김에 한 소리였다. 무시해도 그만이라 여겼는데 도로 질문이 날아왔다.

"무엇이 됩니까?"

"연기가 되지 않을까? 흩어지는 연기 말이다."

그 애가 더 말이 없기에 마루로 와서 털썩 앉았다. 탁주를 사발에 콸콸 따르는데 다시 목소리가 들려왔다.

"연기가 아니라 구름이 될 것 같습니다."

"구름?"

"예. 하늘 높은 곳에서 아무 노력 없이도 둥둥 떠다니는 구름이 되지 않을까요? 그렇게 흘러 다니다 산에 걸리면 쉬기도 하고 바람을 타고 돌아다니기도 하고."

"왜 그렇게 생각하니?"

"뭐, 힘들게 용까지 되었으니까 이젠 좀 편하게 지내고 싶지 않겠습니까?"

엉뚱한 대답에 웃음이 났다. 그 애는 내 웃음을 오해했는지 조금 토라진 투로 말했다.

"그러니까 왜 무식한 저한테 그런 걸 여쭙고 그러십니까? 저는 나리의 말상대가 못 됩니다."

"아니, 아니다. 마음에 들어서 그래."

진심이었다. 나는 달콤한 탁주를 삼키며 그 애의 뒤통수를 빤히 바라봤다. 군모에 채 쑤셔 넣지 못한 잔머리가 흘러내려 목덜미에 살랑거렸다.

다음 날 그 애는 내가 말한 대로 안줏거리로 삼을 건어물 같은 것을 조금 사왔다. 술을 마시다 보니 또 부쩍 쓸쓸해져서 누구와 말이라도 나눠보았으면 하는 얄팍한 갈망이 피어올랐다.

나는 술잔을 내려놓고 담벼락으로 다가갔다. 가시덤불 너머로 그 애의 옆모습이 보였다. 이름도 모르고 나이도 모르는, 아비 대신 역을 진다는 아이. 가까이서 보니 성년은 지난 것 같았다. 어쩌면 아이라고 부르기에는 많은 나이일지도 모르지만 마땅한 호칭도 없기에 그냥 그리 부르기로 했다.

"아가."

"예."

그 애는 슬쩍 나를 돌아보았다. 천진해 보이는 눈동자에 내 모습이 흐릿하게 비친다.

무슨 이야기를 할까. 무슨 말을 하면 좋을까. 수많은 책을 읽었지만 지금 이 아이의 관심을 끌만한 소재는 몇 개 떠오르지 않았다.

나는 결국 고루한 천체의 이야기나 지껄였다.

"내가 오래전에 대국을 거쳐 수입된 책을 하나 읽은 적이 있는데 말이다. 아주 먼 서쪽에서 쓴 천체에 관한 책이었어."

"천체가 뭡니까?"

"하늘에 떠있는 것들. 해나 달이나. 그런데 그 책에서 말하길 달도 큰 돌이라 하더구나."

"달이요? 달이 돌이면 무거울 텐데 어떻게 하늘에 떠 있습니까?"

"음……."

책을 읽으면서도 그런 의문은 갖지 못했다. 아니, 애초에 무언가에 의문을 품어본 적이 별로 없었다. 늘 적힌 대로 배우고 받아들였다. 그것이 왕도라고 하기에 그런 줄 알았다.

그렇게 살다 여기까지 왔다. 거대한 의문 하나만 남기고 모든 것이 침몰했다.

나는 이제 어떻게 살아가야 할까.

어린 시절부터 끊임없이 답습한 왕도는 이제 내 삶의 방식이 되지 못한다. 수천의 경전과 선현의 지혜도 의미가 없나.

망망대해였다.

지금의 나는 살아가는 방법도 모르는 서른 먹은 머저리다.

"책에는 안 나오는 이야기인가 봅니다."

사념이 너무 길었던 모양이었다.

"글쎄다, 그래도 돌이니 단단해서 토끼가 살 수 있겠지."

"듣고 보니 그러네요."

내 엉뚱한 대답에 그 애는 납득한 듯 고개를 끄덕끄덕했다.

그러더니 곧 다른 질문을 던졌다.

"그럼 태양도 돌입니까? 별도요?"

"거기까진 안 나와 있던데."

기억이 나지 않아 말을 얼버무렸다. 답을 하지 못했는데도 기분이 나쁘지 않았다. 오히려 이 애가 던지는 난처한 질문들이 재밌었다. 이렇게 허식 없이 말을 나눈 적이 별로 없었다.

그 애가 돌아간 후에도 나는 한참이나 마루에 앉아 지난 대화를 곱씹었다.

내일도 그 애와 이야기를 해보고 싶었다. 갑자기 수령이 정신을 차려서 보초를 바꾸지는 말아야 할 텐데.

다행히 내 걱정은 기우였다. 다음 날도 그 다음 날도 그 애는 홀로 긴 창을 끌고 와서 보초를 섰다. 맞지도 않는 낡은 옷이 가여워 보여 괜히 마음이 쓰였다. 내 주제에 누굴 동정한다는 것이 얼마나 같잖은 짓인 줄 알면서도.

나는 읽은 책 중에서 그 애가 좋아할 만한 내용들을 떠올려보려 노력했다. 하루는 어느 산에만 핀다는 귀한 꽃에 대한 이야기를 하고, 또 하루는 대국에 있다는 큰 장시에 대한 이야기를 했다.

어느 것 하나 그 애에게도 나에게도 가깝지 않은 이야기였지만, 그 애와 이야기를 하다보면 이 작은 섬이 아니라 먼 산이나 시끌벅적한 장시에 와 있는 듯한 착각이 들었다.

태사太師가 내게 언어는 통해야 하는 것이라 가르쳤을 때 그 말뜻을 몰랐다. 빤한 이야기를 괜히 현학적인 척 늘어놓는다 생각했다.

말은 원래 남과 통하려 만든 것이니 당연히 그러한 것 아니겠냐고.

하지만 여기까지 와서야 나는 통한다는 느낌이 무엇인지 처음으로 알았다.

나는 유폐된 폐주고, 그 애는 병든 아비 대신 역을 나온 가난한 상민이었다. 그런데도 우리가 말을 나누면 오가는 대화 속에 본 적 없는 꽃이 피고 황금이 오갔다.

그렇게 한참을 떠들다 그 애가 돌아가고 나면 외로운 마음을 가눌 길이 없었다.

그 쓸쓸함을 나는 허망함이라 판단했다.

이것이 부질없는 유희이기 때문이다. 대화를 나누어봤자 무엇할까. 결국은 이렇게 공허한 것을.

하루는 혼자 방에 처박혀 술을 마셨다. 말을 섞는 것은 좋았지만, 홀로 남은 저녁 몰아치는 공허함이 두려웠다.

해가 질 무렵 그 애가 갔으려나 싶어 나왔더니 어쩐 일인지 아직 가지 않고 그 자리에 있었다.

"나리. 저 이제 가보겠습니다."

"아, 그래."

그 애는 나를 향해 허리를 숙여 인사하고 돌아섰다.

"아가."

나는 염치도 모르고 또 그 애를 불러 세웠다.

"예?"

"내게 인사하고 가려고 했니?"

누가 죄수더러 인사까지 하고 간단 말인지. 물어놓고 나니 괜한 답을 기대한 것 같아 창피했다.

"예. 오늘은 나오시지 않으시기에 인사라도 드리려 했습니다."

기뻐하면 안 돼. 그냥 예의상 해주는 말일 거다.

"아, 내가 너무 귀찮게 굴지 않았나 싶어서 말이다."

"예? 제가 어떻게 감히 나리를 귀찮게 여기겠습니까?"

"나랑 대화하는 것도 물릴 것 같고."

"아닙니다. 어차피 나리께서 말을 안 거시면 저는 멍하니 저 바다나 보면서 시간을 때우다 가야 하는데, 재밌는 말씀을 해주시니 좋습니다. 그럼 늦었으니 가보겠습니다."

그 애는 인사를 남기고 쌩하니 절벽을 내려가버렸다.

그날은 이상하게도 쓸쓸하지 않았다. 가만히 있다가도 피식피식 웃음이 새어나왔다.

내일은 또 무슨 이야기를 하면 좋을까 고민이 되었다. 문득 지금 내 모습이 어떤지 깨닫자 한숨이 새어나왔다.

미쳤군.

만난 지 고작 열흘 된 아이한테 마음을 기대려 하다니.

닷새쯤 더 지났을 때는 이 고을의 수령에게 꽤 고마운 마음이 들었다. 이 아이가 아니라 다른 사람이 보초를 섰더라면 나는 이미 목을 매달았을 것이다.

어쩌면 그 편이 좋았을지도 모르지만.

해가 뜨자마자 마당으로 나갔다. 그 애가 절벽을 올라오는 경쾌한 발걸음 소리가 들렸다. 그 애는 일치감치 나와 있는 나를 보고 가볍게 미소 지었다.

"술이 퍽 고프셨던 모양입니다. 이렇게 아침부터 반겨주시니."

"너를 반기는 것인데."

말해놓고 나니 너무 낯간지러운 소리를 한 것 같았다. 하지만 그 애는 아무 생각이 없는 눈치였다.

"아가."

이름을 알고 싶다는 생각이 들었다.

그러고 보니 내 이름도 알려주지 않았다. 통성명을 하려면 먼저 이름을 밝히는 것이 예의겠지.

"나는 환이라고 한단다."

너는 알까.

내가 내 입으로 이름을 밝혀본 것이 오늘이 처음이라는 것을.

어릴 때부터 세자 저하였고, 즉위를 한 후에는 내 이름은 만민이 감히 부를 수 없는 것이 되었으니.

내 스스로 이름을 밝히고 나서도 생판 남의 이름처럼 낯설었다.

"예전에는 나도 다른 이름을 썼지. 자신을 과인이라 부르며 말이다. 우습지 않니? 지금은 이 이름 한 글자라도 남은 것에 감사해야 하는구나."

그 애는 무슨 생각을 하는지 그저 고개를 젓기만 했다.

먼저 이름을 밝혔으니 선뜻 그 애도 이름을 알려줄 줄 알았는데 영 어색한 침묵만 길어졌다.

넌 이름이 뭐니?

그 말이 묻기 어려워 나는 괜히 딴 이야기부터 꺼냈다.

"아가, 네 나이는 얼마쯤 되었니?"

"스물입니다."

짐작하던 정도였다.

"내가 즉위를 했던 나이와 같구나. 그런데 이 섬의 백성들은 스물이 되어도 너처럼 순수하니?"

"저는 순수하지 않습니다, 나리."

무언가 잘못된 말이라도 들은 것처럼 놀라 토끼 눈으로 부정하는 모습에 웃음이 나왔다.

요즘은 궁에 있던 시절보다 자주 웃는 듯했다.

"그런데 나이가 스물인데 왜 시집은 가지 않았니?"

보통 상민들은 열예닐곱이면 혼례를 치른다. 그런데 이 아이는 머리를 올리기는커녕 군모에 아무렇게나 쑤셔 넣고 오니 도저히 기혼이라 생각하기는 힘들었다.

"아비는 병이 깊고, 배도 곯는 처지입니다. 그럴 여유가 없습니다."

속 아픈 이야기를 담담하게도 한다. 풍파에 지치고 지쳐서 이젠 위로조차 필요 없다는 얼굴로. 웃을 때는 오월의 녹음처럼 싱그러운데, 이럴 때는 너무 일찍 죽어버린 고목 같다.

나는 멀리 시선을 던졌다. 육지를 떠나던 밤 심해에서 올라오던 어둠이 떠올랐다. 어떤 세월을 보내면 스무 살 아이가 저런 표정을 짓게 되는 것인지 나로서는 감히 단언할 수 없었다.

"같이 술 한잔하겠느냐?"

오늘은 이렇게 물어도 좋을 것 같았다.

나는 술을 따라 건넸다. 담이 높은 것은 아니어서 그 애는 무던히 잔을 받았다. 그러고는 빼는 것 없이 곧장 술을 들이켰다.

둘 사이를 가로막은 담장이 거추장스럽게 느껴졌다.

"들어와서 마시면 더 좋지 않겠니?"

"그러다 들키면 저는 경을 칩니다."

내 생각 짧은 말에도 이 애는 인상 쓰는 법이 없다. 기껏해야 놀라서 도리질 치는 게 전부다.

"하긴, 하기야 그렇지. 그러면 내가 계속 여기 네 곁에 서서 마시는 편이 좋을 것 같구나."

나는 술을 한 잔 더 마셨다. 아직도 이름을 듣지 못했다는 사실이 떠올랐다. 이러다간 해가 질 때까지 이름도 못 들을 판이었다. 보름 전만 해도 몰라도 좋을 이름이라 생각했을 텐데, 지금은 꼭 알고 싶었다.

나는 남은 술을 털어넣고 물었다.

"아가, 그런데 너 이름은 뭐니?"

"삼월에 태어나서 삼월이라 부릅니다."

어려웠던 질문에 비해 답은 너무 쉽게 나왔다.

삼월에 태어나서 삼월이라.

"그런 것을 이름이라 할 수 있느냐?"

"안 될 것은 뭡니까?"

안 될 것은 없다. 하지만 조금 더 특별한 이름을 붙여주었으면 했다. 삼월에 태어난 삼월이가 아니라, 하나뿐일 이름을.

그러면 내가 좀 위로가 될 것 같았다. 지친 표정으로 멀뚱히 선 네게 무언가를 선물한다면.

"애, 아가. 그러면 우리 서로 이름 지어주지 않으련?"

"이름을 뭐하러 짓습니까?"

"그러지 말고 우리 서로 지어주자꾸나. 나도 너에게 새 이름을 받고 싶구나."

덧붙인 말은 다분히 충동적이었다. 내 이름도 어차피 내 이름 같지 않으니, 다른 이름 좀 붙여본들 어떠냐는 생각이 들었다.

전하, 과인.

영영 내 것일 것 같던 이름들을 빼앗기고 나는 지금 무명이다.

"나리는 지금 이름도 좋으십니다."

"아가, 그러지 말고, 응? 그러고 보니 나이가 스물이면 범띠겠구나."

"예."

"나는 용띠인데, 그럼 우리는 용호상박이겠구나."

너무 시답잖은 농담이었는지 그 애는 웃지 않았다. 민망해져서 얼른 이름을 짓기 시작했다.

"그러면 네 이름은 인화라고 하자. 호랑이 인寅을 쓰고, 화는………."

강하고 굳건했으면 해서 호랑이 인을 선뜻 넣었다. 너무 즉흥적으로 지어주는 것 아닌가 싶어 표정을 살피니, 다행히 별로 기분 나쁜 기색은 없었다.

"꽃 화花? 아니다, 아니야."

꽃은 져버리니 어울리지 않는다.

지는 것은 쓸쓸하다. 그런 쓸쓸함을 붙여주고 싶지 않다.

"그래, 네 이름에는 아름다울 화嬅를 쓰자."

꽃은 져버려도 아름다움은 영원하니.

"네게 제법 어울리는 이름 같구나, 인화야."

인화야.

부르고 나니 꼭 맞는 이름 같아 흡족했다.

"이제 너도 내 이름을 하나 지어다오. 받았으니 주어야지."

내 뻔뻔한 요구에 인화는 머뭇머뭇하다가 조심스레 입을 열었다.

"나리, 그런데 저는 글자를 몰라서 좋은 이름을 짓기가 힘듭니다."

"괜찮다, 괜찮아."

어차피 산 귀신에게 좋은 이름이란 의미가 없으니.

"내 오월에 태어났으니 오월이라고 불려도 좋으니 아무 이름이나 네 마음이 내키는 대로 불러보려무나."

인화는 내 얼굴을 빤히 쳐다봤다. 나름대로 심각하게 고민하는 중인지 작은 입술이 자꾸만 오물거렸다. 한참 후에 인화가 입을 열었다.

"그럼 나리는 산이라고 하십시오."

"산?"

"예. 산은 바다 위 홀로 떠 있어도 외로움을 모르지 않습니까."

"산, 산………."

어째서일까. 이것이 진짜 내 이름이라는 생각이 들었다.

서른 해만에 처음으로 내 이름을 찾았다. 아니, 네가 찾아주었다.

만물의 진실된 이름을 찾아주는 사람들, 그런 사람들을 시인이라 부른다.

"아주 마음에 드는구나, 아가. 너는 시인이구나."

해가 뜨기 전부터 마루에 앉아 인화를 기다렸다. 새벽녘 정신이 깨더니 다시 잠들기가 어려웠다.

동이 트고 조금 지나자 가벼운 발걸음 소리가 들렸다. 곧 인화의 모습이 보이자 나도 모르게 입꼬리가 올라갔다.

"아가, 기다렸다. 들어와 앉거라."

정말로 들어올까?

반쯤 체념하고 한 말이었는데 쇠가 철컥이는 소리가 났다.

네가 처음으로 저 문을 열고 들어왔다.

가슴이 뛰는 까닭은 이것이 금지된 놀이이기 때문이겠지.

나는 시를 적어둔 종이를 꺼냈다. 막상 읽으려고 하니 낯 뜨거웠다.

"저는 시를 모르는데요."

인화의 반응도 영 시큰둥했고.

"아니다. 어제 보니 너는 시인이더구나."

그런 까닭에 시를 몇 수 읽어주고 싶었다. 그런데 종이를 들고 한참을 뚫어져라 보아도 입술이 떨어지질 않았다. 그 사이에 인화는 가져온 감을 깎아두었다.

결국 나는 당장 시 읽기는 포기하고 종이를 내렸다. 너무 맨정신이어서 그런다. 술이 좀 들어가면 못 읽을 것도 없다.

우선은 술을 잔 두 개에 따랐다.

"인화야."

부를수록 흡족했다.

물론 인화가 찾아준 내 이름만은 못하지만 말이다. 다시 그 목소리로 산, 하고 불러주었으면 좋겠는데 인화는 영 그럴 마음은 없어보였다.

나는 술잔을 나누며 인화의 아비가 앓는다는 병증이 무엇인지 물어보았다. 매병이라 했다. 딸아이를 알아보지도 못한다고 한다.

형제자매도 없고 모친도 잃었다고 했으니 이 아이 혼자 그 짐을 오롯이 지고 있는 셈이다.

이 아이가 짊어진 현실의 무게를 생각하면 내 절망은 삽시간에 우스운 것이 되고 만다.

"그럼 앞으로는 조금 더 일찍 들어가거라."

무력한 내가 해줄 수 있는 배려는 고작 이런 것들뿐이다.

"대신 이곳에 있는 동안만이라도 이렇게 나랑 어울려주렴."

내 염치없는 부탁에도 인화는 선뜻 고개를 끄덕였다.

"그래, 인화야. 시를 한번 들어보겠느냐?"

술이 조금 들어가자 읽을 수 있을 것 같은 기분이 들었다. 하지만 막상 골라둔 시들을 보니 하나 같이 목구멍이 간질간질한 것들뿐이었다.

미쳤지. 이래서 늦은 밤에 붓을 잡으면 안 되는 건데.

어제는 대체 무슨 생각으로 이런 시조들을 좋다고 적어둔 건지, 종이를 다 구겨 던져버리고 싶었다.

아니, 무슨 다른 뜻을 두고 고른 것들이 아니다. 사대부의 사상이 담긴 시는 지루할 테니 그것들을 제외하고 아는 것 중에 아름다운 시를 떠올리다보니 이렇게 된 것이다.

나는 그나마 무난한 것을 고르고 골라 읽어내려갔다. 너무 떨려서 바보처럼 제대로 읽지도 못했다. 분명 아주 형편없이 들렸을 것이다. 남들 앞에서 무언가를 읽는 일은 익숙했지만 이렇게 떨어본 것은 처음이었다.

나는 시를 읽고 인화의 표정을 확인했다. 다행인지 불행인지 아무 생각이 없는 얼굴이었다.

그래도 이건 심했지. 아무리 인화가 시를 모른다지만 방금 내가 엉망이었다는 건 알 거다.

한참 변명을 늘어놓는데 그 애가 생긋이 웃었다.

"저야 무식하니 내용은 잘 모르겠지만 나리의 목소리가 참 좋습니다."

"내 목소리가 좋으냐?"

"예, 굉장히 듣기 좋습니다."

바보 같이 그 말에 절로 웃음이 나왔다.

이제는 다정이 왜 병인지 조금은 알 것 같다는 생각을 하며, 마당 위로 뻗은 나뭇가지를 올려다보았다. 텅 빈 가지는 꼭 나처럼 생기 없이 말라 있었다. 나도 모르게 한탄조의 말이 흘러나왔다.

"사실 이 시는 배꽃이 만발한 봄밤에 읊으면 더 정취가 있을 텐데."

안다. 그 봄에 너는 없다.

네 역이 끝나면 너는 떠나고 나 혼자 덩그러니 봄에 남겨지겠지.

인화는 방금 내가 바라보았던 나뭇가지를 올려다보았다.

"곧 눈이 와서 가지에 쌓이면 배꽃처럼 희게 보일 겁니다."

그 말을 듣는 순간 심장이 두근거렸다. 마치 처음 세상의 빛을 본 것처럼.

낯선 설렘이 오싹했다. 거대한 감정이 이를 드러내고 나를 잡아먹으려는 것 같았다.

아니야, 이건 잠깐의 착각이다. 외로움이 만들어낸 망령이다.

마음이 기우는 것이 두려워 얼른 시선을 돌렸다.

가지 위에는 꽃이 없고, 네게는 내 자리가 없다. 그러니 나도 네게는 자리를 내어주지 않을 테다.

그날 이후로도 인화는 줄곧 나와 술잔을 기울였다.

너무 마음을 기대지 말아야지. 어차피 서로 스칠 뿐인 인연이다.

그렇게 생각하면서도 막상 인화가 오면 들어오지 않겠느냐고 먼저 묻고 만다.

외로움이 병이다.

나는 몰래 쓴웃음을 짓고 인화의 잔을 채워주었다.

네 아비가 오래오래 살아서, 역이 돌고 돌아 다시 그의 차례가 온다면, 너는 다시 이 절벽을 찾아올까. 그때 너는 누군가의 아내가 되고 누군가의 어미가 되고, 나는 형편없이 늙어 바스라져 있겠지. 그래도 그때는 운이 좋아 함께 배꽃을 볼 수 있을지도 모르지.

네가 뭐라고 나는 이런 생각까지 하고 있을까.

너는 생각도 않을 먼 훗날을 나 혼자 꿈꾸고 싶어 할까.

스스로가 한심했다. 거리를 둬야 한다고 타이르는데도, 내 마음은 제멋대로 울타리를 뛰쳐나가 네 곁을 서성이고 있다.

이것이 연심일 리는 없지. 동정은 더더욱 아니겠지.

"나리, 절벽 앞까지만 가서 바다라도 보시렵니까?"

인화가 난데없이 물었다.

"이곳을 나가자는 말이냐?"

고작해야 몇 걸음 되지도 않는 거리다. 게다가 이 시간에 이곳을 오가는 사람도 없다. 그러니 나가도 별일 없을 것이다.

알면서도 고개를 저었다.

"아가. 마음은 고맙다만 네게 누를 끼치고 싶지는 않구나."

"누가 오는 기척이 나면 얼른 돌아오면 됩니다."

인화가 권하는 작은 일탈이 마음을 움직였다.

"좋다. 달음박질은 자신 없으니 누가 오는 것 같거든 일찍 말해 주어야 한다."

그렇게 답하고도 막상 나간다고 생각하니 아주 약간의 망설임이 남았다.

"달음박질을 못 치십니까?"

"세자로 책봉된 후로는 달려본 적이 없어 모르겠구나."

어릴 때는 곧잘 뛰었던 것 같은데, 경박하게 굴지 말라 하기에 그 뒤로는 좀처럼 달려보지 않았다. 그런 말을 하나하나 다 들어야 하는 줄 알았다.

"그럼 범이 쫓아와도 걸으십니까?"

인화가 생뚱맞은 소리를 했다.

"왕궁 한가운데 범이 왜 나타나겠느냐?"

내가 어이없어 웃자 인화도 작게 웃었다. 하지만 곧 심각하게 표정을 굳히더니 범이 나타나면 뛰어야 한다고 경고했다. 인화의 말로는 이 집에 살던 일가가 범에 물려갔다고 한다.

차라리 물려가는 편이 나을지도 모르겠다.

그렇게 중얼거렸더니 인화의 눈꼬리가 시무룩하게 내려갔다. 내 목숨이 위태로워진다고 하여 속상해하는 것도 이 아이뿐일 거다. 나조차도 내 목숨이 하찮으니.

"그래도 우리 인화가 달리라 했으니, 범이 나타나면 힘껏 달려보마."

인화는 영 믿음이 가지 않는지 나를 의심스러운 눈초리로 바라보았다. 하기야 나도 나를 못 믿겠는데 이 애는 오죽할까 싶었다.

"그럼 연습 삼아 저 절벽까지만 달려보자."

"저도 같이 말입니까?"

"그래."

"좋습니다."

인화는 자리에서 일어나더니 군모를 벗고 허리띠를 죄였다. 땋지 않고 대강 끈으로 묶은 머리가 흘러내렸다. 모자로 눌러둔 탓에 헝클어져 있었다.

별 생각 없이 그 모습을 훑고 있는데 인화가 갑자기 내 손을 잡았다.

작은 온기가 닿는 순간 심장이 저 발아래까지 쿵 떨어지는 줄 알았다.

나는 손을 놓지도 못하고 허둥지둥하는데 인화는 표정 변화

하나 없었다.

"도망가실까 봐 그럽니다."

아, 그렇지. 이 아이는 나를 감시하고 있다. 지금 이 행동도 본분에 충실한 것뿐이다.

"나리께서 도망가시면 제가 곤란합니다."

정말 그것뿐이다. 그런데도 인화와 눈을 마주칠 수가 없었다. 심장은 무얼 착각했는지 아무리 달래도 쉬이 가라앉질 않는다. 맞닿은 손의 온기가 자꾸만 나를 간지럽힌다.

"알겠다."

"그럼 셋에 뛰시는 겁니다. 하나, 둘, 셋."

우리는 동시에 절벽을 향해 달렸다. 꽉 닫혀 평생 열리지 않을 것 같은 문을 지나, 푸른 바다가 넘실대는 수평선을 향해서.

맞바람이 피부를 치는 감각마저 상쾌했다.

탁 트인 청록의 바다가 시야를 환하게 밝혔다. 절벽 끝에 아슬아슬하게 서자마자 웃음이 터져 나왔다. 인화가 나를 보고 활짝 웃었다.

절벽 아래 넘실대는 파도가 머릿속을 새파랗게 물들였다. 수평선에서 불어온 바람이 인화의 머리칼을 넘겼다. 바다 냄새가 물씬했다. 쏟아진 햇살에 인화는 약간 눈부신 듯 눈을 찡긋했다. 여전히 입가에 부드러운 호선을 그린 채로.

바다, 바람, 햇살, 미소, 이런 것들이 한꺼번에 내게로 쏟아졌다. 아름다움으로 나를 질식시켜버리겠다는 듯이.

그리고 우리는 여전히 손을 맞잡고 있었다. 온기가 점점 짙어져 기어코 열기가 되더니 내 몸을 데웠다. 뒤통수를 세게 맞은 것처럼 정신이 얼얼했다.

본능적으로 알 수 있었다.

이런 순간이 두 번 오지 않으리라는 것을.

인생의 가장 아름다운 순간은 예고 없이 온다. 막을 수도 없고, 뒷걸음질 칠 수도 없다. 처음에는 당혹스럽다가 이내 안타까워진다. 벼락처럼 내리친 이 시간이 나를 관통해 흘러가버릴 것을 알기 때문이다. 잡으려 해도 잡을 수 없다.

그러니 생애 가장 아름다운 순간 느끼는 감정은 분명 슬픔이다.

"즐거우십니까?"

즐겁냐고? 아니, 슬프단다.

"그래, 속이 시원하다. 달리는 게 이렇게 좋은 일인 줄은 처음 알았구나."

"다행입니다."

인화는 술과 안주를 챙겨오겠다며 내 손을 놓고 돌아서려 했다.

"어디 가시면 안 됩니다."

나는 떨어지려는 인화의 손을 다시 낚아챘다.

"걱정 마라."

지긋한 온기가 퍼져왔다.

"내가 어딜 간다고 그러니?"

조금만, 조금만 더 이 아름다운 순간 속에 남아 호흡하고 싶었다.

네가 돌아간 후 나는 홀로 마당에 섰다. 고개를 드니, 붉은 하늘을 뒤로 하고 빈 가지에 흰 꽃이 활짝 피어 있었다. 새하얀 꽃잎이 바람결에 나부껴 내게 날아온다.

그럴 리가 없지. 지금은 겨울의 초입인데.

이것은 필시 환영이다.

눈을 깜빡이자 꽃잎은 사라졌다. 그런데도 나는 이미 보이지 않는 꽃잎을 잡으려 손을 뻗었다. 이 허깨비 같은 위안, 망령 같은 감정. 움켜쥔 허공 안에 반드시 네가 있을 것만 같았다.

나는 손바닥을 펴지 못한 채 한참이나 주먹을 가슴께에 대고 있었다. 심장이 요동치며 아까의 온기를 찾았다.

나는 천천히 손바닥을 폈다. 역시 그 안에는 아무것도 없었다.

그렇지. 처음부터 허상이지. 내 갈망이 네 위에 덧씌운 허상.

그런데도 놓을 수가 없으니 나는 이대로 내 망상에 매달려 살아가겠지. 내가 간신히 이곳에서 찾아낸 살아가는 방법, 그게 너니까.

홀로 기대하고 홀로 실망하고 결국에는 이 모든 것이 나 혼자만의 수렁임을 알면서도.

네 헛것 같은 호의에 나는 목을 매고.

네 실낱같은 온기에 나는 열을 앓고.

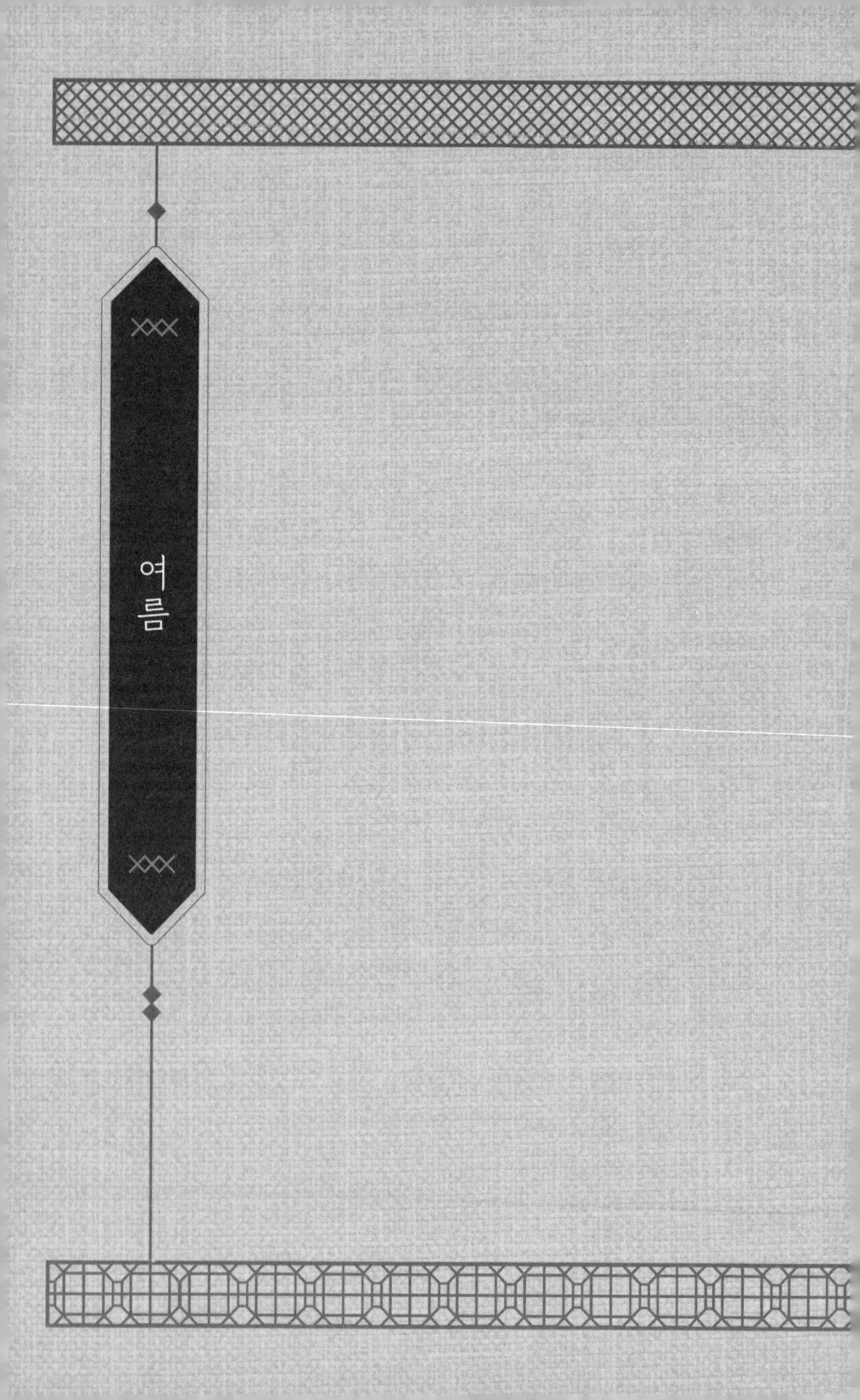

여름

예전에는 너무 행복해하면
벌을 받지 않을까 겁을 내곤 했다.
분에 넘치는 것을 바라면
귀신이 질투를 한다고 하니 말이다.

근 오 년 만에 돌아오는 한성의 풍경은 내가 기억하던 것과 많이 달랐다. 강산은 십 년이 흐르면 바뀐다는데 사람 사는 세상은 오 년이면 개벽을 한다.

성벽의 그늘을 벗어나자 초여름의 열기가 쏟아졌다. 농익은 온풍을 타고 짙은 녹음의 향이 코끝을 찔렀다. 바로 옆으로 말 한 마리가 자욱한 흙먼지를 일으키며 달려갔다. 곧 저 멀리 궐문 안으로 까만 말 꼬랑지가 사라졌다.

"궐에 무슨 급한 일이라도 났나 봅니다."

"글쎄다. 워낙 실속 없이 바쁜 곳이라."

미지근한 훈풍 때문인지 환의 목소리도 평소보다 온기를 띠었다. 여름 햇살에 젖은 그의 피부가 유독 말갰다. 스스로는 인정하기 싫겠지만 환은 역시 한성 사람이었다. 언제 섬에서 지냈냐는 듯, 한성의 풍경에 무리 없이 녹아들었다. 반면 나는 길 한복판에 덩그러니 던져진 짐덩이처럼 이리저리 치이느라 정신이 없었다.

환의 옆에는 작은 아이가 조심조심 걸음을 옮기고 있었다. 아이가 걸음을 뗄 때마다 명주실처럼 가는 머리칼이 살랑거렸다. 내 시선을 느낀 아이는 고개를 들어 살풋 웃음을 보였다. 분홍빛 뺨 위 폭 파인 보조개에 볕이 고였다.

신이는 오늘 퍽 들뜬 모양이었다. 남대문에서부터 줄곧 걸어왔는데도 생글거리기만 했다. 평소라면 인상을 쓰며 칭얼대고도 남았을 거리였다. 환은 아이가 걱정인지 거듭 괜찮냐고 물어보았다. 아이가 힘차게 고개를 끄덕였다.

"보십시오. 얼마든 잘 걸을 수 있는데 그동안 엄살을 피운 거라니까요."

안유군이 한성까지 편히 오라 마차를 보내주긴 했지만, 때때로 마차가 지나기 힘든 길에서는 걸어야 할 적도 있었다. 그때마다 신이는 툭하면 환에게 업어달라는 듯 매달리곤 했다. 그러면 환은 아이의 어리광을 못 이겨 안아 들곤 했던 것이다.

하기야 섬에서 한성까지 오는 길이 이 애에게도 지겹고 피로한 여정이었을 테다. 본래는 봄에 도착할 수 있지 않을까 했는데, 어린 것을 데리고 오다 보니 간신히 지금에서야 한성 문턱을 밟을 수 있었다.

"엄살 좀 피우면 어떠니?"

환이 웃으며 대꾸했다.

"서운하면 너도 업어줄까?"

"됐습니다."

실없는 농담이 아주 싫지는 않았다.

환은 성문까지 마중 나왔던 사람들을 돌려보냈다. 한성에는 아직 그를 못마땅해하는 사람이 많으니 되도록 조용히 움직이고 싶다는 이유였다. 덕분에 우리는 평범한 유람객처럼 한성 중심가를 돌아볼 수 있었다. 성문 앞까지 나왔던 사람들이 부담스럽게 공손했던 터라 지금이 더 마음 편하기도 했다.

길가에서 호객을 하던 과자 가게 주인이 신이의 손에 유과 하나를 쥐여주었다. 가게 안에서 풍기는 달콤한 냄새가 기분 좋게 코를 자극했다.

"감사합니다, 해야지."

내 말에 아이는 꾸뻑 고개를 숙였다. 또박또박 말은 않더라도 비슷하게 웅얼거리기라도 하면 좋을 것을. 그것 목소리 한번 듣기 힘들다. 내가 은근히 못마땅해 하는 것을 눈치챈 것인지 환의 입꼬리가 미묘하게 올라갔다.

"그래도 인사는 곧잘 하잖니."

신이가 이럴 때마다 변명은 환이 한다.

제 부모가 무슨 말을 나누든 아이는 그저 과자 때문에 신이 났다. 좀처럼 과자를 먹인 적이 없어서인지 신이는 한 입 베어 물자마자 토끼 눈이 되었다. 맛있어서 놀라기라도 했나 보다. 그 모습을 골똘히 바라보고 있었더니, 상인이 웃으며 내게도 하나 맛보라 권했다. 당연히 사양하지 않고 받았다. 혀에 사르르 녹아내리는 달달함이 못내 아쉬워 입을 두어 번 다시게 되는 맛이었다.

아이는 작은 이로 유과를 조금씩 베어 먹으며 계속해서 주변을 돌아보았다. 번잡한 한성의 거리를 어린아이의 눈으로 보면 어떨지 궁금했다. 내게도 별천지 같은데 이 어린것에겐 눈 깜빡이기도 아쉬울 정도로 신기한 것투성이일 테다.

앞으로 이 아이는 이런 풍경에 둘러싸여 자라겠지.

생각해보면 내가 나고 자란 풍경은 막막한 바다와 하늘 같이 높은 산, 그리고 옹기종기한 마을이 전부였다. 한성에 비하면 적적한 곳일지도 모르지만, 그곳에는 그곳 나름의 다채로움이 있었다. 하늘의 색이 변하는 날이면 바다도 빛깔이 바뀌었고, 산도 계절마다 농담을 달리했다. 잎사귀 위에 맺힌 이슬은 고개를 돌릴 때마다 아롱다롱한 빛을 산란시켰다. 그 모양새를 느긋이 지켜보노라면, 풍광이라는 것이 다소 느리기는 해도 실은 인간사만큼 부산스럽지 않나 싶은 것이었다.

사람은 무엇을 보고 자라느냐에 따라 영판 다른 사람이 되기도 한단다. 신이는 이제 이 복작복작한 한성의 거리에서, 파도가 아닌 인파를 보고 자랄 것이다. 그러니 자연스레 나와는 다른 생각을 하고 다른 시야를 가진 사람이 될 것이다.

내 배에서 난 것이 훗날 나와는 전혀 다른 사람이 되리라는 생각을 하면 조금은 쓸쓸한 기분이 들기도 한다.

궐문에 다다르자 수문장이 형식적인 신분 확인을 했다. 이미 우리가 올 것을 알고 있었기에 통과는 순조로웠다.

"왜? 아직도 이곳은 껄끄러우니?"

환이 장난스레 물었다. 그제야 내가 얼굴을 잔뜩 굳히고 있었단 것을 깨달았다. 얼른 표정을 폈다.

"아닙니다. 다 옛일인데요."

이제 이 궐의 주인은 그때 그 무서운 왕이 아니었다. 그자도 또 어디 먼 곳으로 유배를 갔다는데 자세한 사정까진 듣지 못했다. 시장의 주당들이 안주 삼아 떠벌리는 말로는 어디 동굴에 갇혔다고도 하고 가시덤불 숲에 가둬뒀다고도 하는데 원체 허황된 말들이라 믿을 수가 없었다.

"오셨습니까?"

입궐하자마자 반가운, 아니, 반갑지 않은 목소리가 들렸다.

안유군이었다.

한성은 나라가 한바탕 엎어졌던 것을 대변하기라도 하듯 바뀌지 않은 곳이 없는데, 정작 보위에 오른 안유군은 내가 기억하던 모습 그대로였다. 그 모습을 보고 있으니, 자리가 사람을 만든다는 것도 때에 따라선 헛말이구나 싶었다.

지금은 옷도 붉은 용포가 아닌 은빛 자수가 놓인 검은 옷을 입고 있어 더욱 그렇게 보였다. 모르긴 몰라도 저대로 밖에 나가면 다들 지체 높은 신분이라고만 짐작하지, 차마 주상이라 가늠치는 못할 것이다.

"어디 나가시는 길이었습니까?"

환이 의아한 듯 물었다. 이제 안유군이 왕이 된 걸 생각하면 당연한 일이겠지만, 막상 환이 안유군에게 말을 높이는 모습을 보니 영 어색했다. 나라면 한참 어린 동생에게 이렇습니다, 저렇습니다, 하는 게 배알이 뒤틀릴 것 같은데, 환은 이런 것도 참 잘했다.

"너구나."

안유군, 그러니까 새로운 주상은 환의 말을 들은 체 만 체하고 그 자리에 쭈그려 앉았다. 그는 신이와 지그시 눈을 맞췄다. 신이는 처음 보는 삼촌이 신기한지 겁도 없이 손을 내밀었다. 아이의 작은 손이 안유군의 뺨을 꾹 눌렀다. 안유군은 웃으며 아이의 머리칼을 헝클었다.

"넌 나를 더 닮았구나."

안유군이 말했다.

"닮았다고요?"

나도 모르게 되물었다. 신이는 정말이지 안유군과는 닮은 구석이 없다. 혹시나 자라서 저 성질머리를 닮을까 봐 그게 걱정이라면 걱정이다.

"불만이냐?"

안유군이 나를 째려보았다. 이럴 땐 참 눈치도 빠르다.

"불만이라니요. 저 같은 게 감히 누구 앞이라고 불만을 품겠습니까?"

"불만 가득한 얼굴인데, 지금."

나름대로 표정을 감췄다고 생각했는데.

나는 어떻게 이 위기를 넘겨야 할까 고민인데, 환은 옆에서 입을 가리고 웃고 있었다. 재밌는 게 많아 좋겠다.

"아닙니다. 영광, 성은, 뭐, 그런 표정입니다."

"참 나. 거짓말도 좀 믿음이 가게 하던가."

안유군은 혼자 구시렁대더니 다시 신이와 눈을 맞췄다.

"그래서 내가 이름을 지어주겠다는 것을 군이 거절하고 붙인 이름이 뭐라고 했지?"

응어리가 단단히 남은 음성이었다. 그걸로 여태껏 꿍해 있다니, 안유군도 참 어련하다. 토라질 거면 사 년이나 깜빡 속아 넘어간 내가 토라져야 정상일 텐데 말이다.

"새벽이란 뜻의 신입니다."

"새벽?"

안유군의 눈매가 장난스럽게 휘더니 이어서 물었다.

"왜? 새벽에 만들어서?"

아주 잠깐 정적이 흘렀다. 그 말뜻을 모르는 신이반 헤실헤실 웃었다. 보나 마나 이제 환의 잔소리가 맹렬히 쏟아질 거라 생각하고 있는데, 뜻밖에도 안유군의 뒤편에서 경악한 여자의 목소리가 먼저 들려왔다.

"전하! 어떻게 그런 말씀을……."

여자의 얼굴이 온통 희게 질려 있었다. 그제야 서너 걸음 떨어진 곳에 한 무리의 낯선 여자들이 서 있었다는 걸 알아챘다. 맨 앞에 선 사람은 나보다 조금 앳되어 보이는 여자였는데, 푸른 비단옷을 입고 머리를 긴 비녀로 올리고 있었다. 나머지는 그녀를 따르는 궁녀들로 보였다. 섬에 퍼진 한성에 관한 풍문들은 죄다 뜬소문이었는데, 궁에 예쁜 여자가 많다는 말만은 참말이었다.

"제 말에 무슨 문제라도 있습니까?"

안유군이 태연하게 대꾸했다.

"당연히 문제가……. 아니, 그러니까, 전하의 말씀은, 그게, 정말 좋은 이름이라는 뜻이니까요……."

여자가 필사적으로 우리를 향해 변명했다.

아무리 생각해도 그런 뜻은 아닌 거 같은데.

여자가 툭 치면 울 것 같은 얼굴을 하기에 차마 바른말은 할 수 없었다.

"아, 소개가 늦었습니다. 형님께서는 일전에 보신 적이 있을 것 같은데. 뭐, 그때는 형편 탓에 제대로 인사할 틈이 없었지만 말입니다. 이쪽이 중전입니다."

안유군은 몸을 일으켰다. 신이가 아쉬운 듯 그를 향해 팔을 뻗었다. 왕비는 얼른 얼굴 낯빛을 바꾸고 우아한 미소를 지었다.

"이렇게 뵙게 되어 영광입니다."

왕비는 안유군과는 달리 상당히 다소곳해 보이는 사람이었다. 멋모르는 내가 보기에도 한 나라의 왕비라기에 부족함이 없어 보였다. 이런 사람이 어쩌다 안유군과 혼인하게 된 것인지 안타까웠다. 무언가 협박이라도 당한 게 아닌지 의심스럽기까지 했다.

"그나저나 원래라면 제가 앞으로 지내실 곳까지 모셔다드릴 예정이었는데, 방금 급한 파발이 오는 바람에 좀 힘들게 됐습니다."

안유군이 말했다.

"무슨 일이라도 있습니까?"

환이 물었다.

"큰일은 아닙니다. 지방에서 정례적으로 오는 보고인데 특이사항이 없어도 늦장 부릴 수가 없어서요."

"그러면 여기서 길게 이야기를 나누어도 누가 되겠습니다."

"조만간 다시 시간을 마련하겠습니다. 집까지는 사람을 시켜 안내해드리라 이르겠습니다. 한동안 빈집이었지만, 깨끗이 준비해두었으니 지내기에 불편함은 없으실 겁니다."

안유군은 인사 대신 신이를 번쩍 안아 들었다. 아이의 웃음소리가 궐 마당에 퍼졌다.

문득 오래전 이곳에 처음 발을 디뎠던 날이 떠올라 기분이 묘해졌다. 나는 발로 바닥을 툭 두드려보았다. 바닥에 깔린 평평한 돌은 그때와 변함없었다. 이 돌바닥이 얼마나 차가운지는 무릎 꿇고 엎드려 통곡해본 사람만이 알 것이다.

궐은 어느 것 하나 크게 변한 것이 없었다. 차가운 돌바닥도, 아름드리나무도, 높은 담과 으리으리한 건물들도 똑같았다. 그런데도 아이의 웃음소리 하나로 생사가 오가던 냉엄한 현장이 포근하게까지 느껴졌다.

이런 웃음소리를 듣기 위해 사람들은 구태여 아이를 낳는지도 모를 일이다.

"너도 조만간 다시 보자."

안유군이 신이에게 말했다.

우리가 지낼 곳은 과거 안유군의 사저였던 저택이었다. 나도 한동안 신세를 졌던 곳이라 새삼 정겨웠다. 식구들도 예전 사람들 그대로인지, 나와 안면이 익은 자들도 여럿이었다. 개중에는 내가 곧잘 아주머니라 부르며 따랐던 분도 있었다. 식사와 집안일을 도맡아 해주는 분이었는데, 고향이 남쪽이라는 이유로 나와는 제법 유대감을 나눴던 사이였다. 아주머니가 앞에 나와 나를 반갑게 맞아준 덕분에 집에 온 듯 마음이 푸근해졌다.

어찌 되었건 세 사람이 지내기엔 너무 큰 집 같아 다소 부담스럽던 차에, 그나마 안유군이 사람을 넉넉히 남겨두어 다행이었다. 안 그랬다면 이 넓은 집을 둘이서 청소하느라 애 좀 먹었을 거다. 그런데 또 생각해보니, 남들의 도움을 받으며 생활한 적이 거의 없어 이것도 마음이 썩 편하지는 않았다.

내가 이리저리 궁리하는 와중에 환이 말했다.

"그래도 이 정도면 지낼 만하지 않니? 아담하고 딱 좋은 것 같은데."

이게 아담하다니. 가끔 환의 머릿속엔 뭐가 들었는지 모르겠다.

신이는 새집이 마음에 드는지 벌써 마당을 들쑤시고 다녔다. 아이가 뛰어다니며 길게 돋아난 풀꽃들이 산들거렸다. 저대로 두면 흙투성이가 되겠다 싶어 얼른 아이를 안아 들었다.

"네 방에 가볼래? 새로 네 방이 생겼는데."

그 말을 이해하긴 한 건지 놓아달라 바둥대던 것이 순식간에 얌전해졌다.

집을 관리해온 사람들 말로는 안유군이 조카를 위해 방을 꾸며두었다고 했다. 대체 무슨 짓을 해놨나 궁금해서 나도 환을 따라 신이의 방으로 향했다.

아이의 방은 안방 옆 작은 방이었다. 방문을 열자 넉넉한 크기의 요람과 서책, 옷가지 같은 것이 단정하게 정리되어 있었다. 아직 글자는커녕 말도 다 못 배운 아이인데 서책은 어찌나 많이 가져다 뒀는지 바닥부터 천장까지 짜 올린 책장을 가득 채웠다.

책을 하나 뽑아보니 복잡한 글자들이 빽빽했다.

"이런 걸 어린아이들이 읽을 수 있습니까?"

"힘들지."

"저는 노력하면 읽을 수 있을 것 같은데."

"그럼 당분간은 네가 읽으면 되겠구나."

그런 이야기를 나누며 책을 몇 장 넘겨보는데, 식사하라는 목소리가 들렸다.

안방으로 가니 간단한 점심상이 차려져 있었다. 신이는 상 앞에 앉아 눈을 반짝였다. 아이를 생각한 것인지 반찬들은 맵고 짠 것 없이 슴슴했다.

"맛있니?"

흰 살 생선 한 점을 물려주고 묻자, 아이는 크게 고개를 끄덕했다. 대답 한 번 들려주면 좋을 텐데 새침하게 고개만 까딱하고 끝이었다. 곧잘 의사 표현을 하는 걸 보면 분명 말귀를 알아듣긴 하는 것이다. 게다가 헝겊 인형을 가지고 놀 때는 인형의 귀에 속닥속닥 무어라 웅얼거리다가도 내가 다가가면 입을 싹 다물어버리는 모습도 여러 차례 보았다. 그런 걸 생각하면 대답 한 번 못 할 것도 없을 텐데, 뭐 그리 새초롬하게 구는지 속을 모를 일이었다.

식사를 마치고 아이는 피곤한지 까무룩 잠이 들었다. 얇은 모포를 배에 덮어주고 방을 나왔다. 고맙게도 아주머니가 아이를 봐줄 테니 근처 산책이라도 다녀오라 권유했다.

"감사합니다. 겁이 없는 아이니 그리 손이 가진 않으실 거예요."

감사 인사를 하고 환과 함께 저택을 나섰다. 오후의 햇살은 아까보다 한결 더 묵직했다. 옷깃 사이로 스며든 뙤약볕에 목덜미가 후끈했다. 곧 있을 장마가 지나면 올여름은 더위가 한껏 기승을 부리리란 예감이 들었다.

어렴풋이 낯익은 골목을 지나는데 갑작스레 웃음이 났다. 옛날 생각이 떠오른 것이다. 이 골목이 시작되는 나무 아래서 환을 몰래 기다리며 가슴 졸였었다.

"왜?"

환이 나를 내려다보며 물었다. 그는 내 왼손을 가볍게 쥐고 있었다.

"예전에 이 저택에서 몰래 나왔던 기억이 나서요. 나리랑 한성 구경을 했었지요."

환도 그날을 떠올렸는지 마주 웃었다. 그때는 가을이었다. 다시 만날 수 있으리란 확신이 없어 침울하기도 했고, 그렇게 오래 헤어질 줄 몰랐기에 마냥 낙천적이기도 했다. 지옥과 극락 사이 어드메에서 우리는 낙엽을 함께 밟았었다.

"그래도 그때 참 재밌지 않았니?"

환이 말했다.

그의 말에 고개를 끄덕이며 내심 놀랐다. 그토록 불안하고 애달팠지만, 지금 와 돌아보면 그날의 아슬아슬한 산책이 퍽 재밌었다는 생각도 드는 것이다.

골목골목 얽힌 길을 지나자 시전 풍경이 펼쳐졌다. 북적이는 군중 속에서 그를 놓치지 않으려 손을 더 세게 쥐었다. 가족끼리 외출을 나온 듯한 모습이 많이 보였다. 무릎 정도 오는 아이들이 제 어미의 손을 잡고 바삐 걷고 있었다. 아이가 무어라 재잘거렸는데, 그 음성이 꼭 병아리가 삐악대는 것 같았다.

예전에는 아이들을 보아도 아무 생각이 없었는데, 이제는 비슷한 또래를 보면 꼭 신이를 떠올리게 된다.

"그런데 신이 말입니다."

"왜?"

"언제쯤 말문이 트일까요? 말은 곧잘 알아먹는 것 같은데 대답은 참 비싸게 굴지 않습니까?"

"그래? 나는 언제까지나 그 애가 이대로 어린아이였으면 좋겠는데 말이다. 훌쩍 자라버리면 서운할 것 같아서."

환은 입꼬리를 슬며시 올렸다. 아이 이야기를 할 때면 환은 유독 부드러운 웃음을 흘리곤 했다. 그때의 그 따뜻한 눈빛과 부드러운 표정이 좋았다. 그 얼굴을 보노라면 어쩐지 우리가 정말 가족이라는 안도감이 드는 것이다.

"저는 하루라도 빨리 자랐으면 좋겠습니다."

내 투정에 환은 웃기만 했다.

"그런데 나리, 저희 어디로 가는 건가요?"

아까부터 환은 온갖 가게들을 그냥 지나쳤다. 마치 어디 갈 데라도 정해둔 사람처럼 말이다.

"어디라니? 목적 없이 걷고 있는 중인데."

환이 어색하게 대답했다. 괜히 눈을 피하는 게 거짓말이 분명했다.

"거짓말할 때 티 나는 거 아직 모르십니까?"

"음……."

환은 난처한 듯 괜히 턱을 매만졌다.

"알겠습니다. 뭐, 어련히 생각이 있으시겠지요. 저는 모른 척하겠습니다."

"고맙구나."

환이 빙긋이 입꼬리를 올렸다.

내심 어디로 향하는지 궁금했는데, 환이 걸음을 멈춘 곳은 장신구를 파는 작은 가판 앞이었다.

나는 이곳을 기억하고 있었다.

"다행히 여긴 그대로구나. 없어졌으면 서운할 뻔했어."

그리고 환 역시 기억하고 있었던 것이다.

이곳은 환이 후백으로 떠나기 전 들렀던 장소였다. 가게 주인은 딱 그때처럼 그늘에 비스듬히 앉아 가게를 보고 있었다. 그 모습을 보자 마치 그 시절로 돌아간 듯한 착각마저 들었다. 그날 환은 이 가판 앞에서 망설이다 발을 돌렸다. 내게 어떤 증표도 쥐여주고 싶지 않았던 거다.

그때를 생각하면 아직도 가슴 한구석에 찬바람이 드는 것 같다.

"돌아오면 사주겠다 약속했었지."

환이 수줍은 미소로 말했다.

"별 대수롭지 않은 것을 다 기억하고 계십니다."

괜히 낯간지러워 퉁명스럽게 대꾸했다. 말해놓고 나니 환이 서운할 것 같아 그의 표정을 확인했다. 환은 내 심드렁한 말에도 여전히 웃는 낯이었다. 어지간히 여기가 아직 남아 있는 것이 기쁜 모양이었다.

"오늘 그 약속을 지키면 되겠구나."

"그렇게 낡아빠진 약속을 뭣하러 지키려 하십니까?"

"눈에 들어오는 게 있니?"

환은 내 말에는 대꾸도 하지 않고 자기 멋대로 내 손을 끌었다. 나는 억지로 가판 앞에 서서 장신구들을 둘러보았다.

"저는 이런 걸 봐도 잘 모릅니다. 나리께서 골라주시는 것으로 하지요."

"그럴까?"

기다렸다는 듯한 반응이 돌아왔다. 환은 고개를 숙이고 진지한 눈빛으로 물건들을 둘러보았다. 어찌나 진중해 보였는지, 흡

사 심마니들이 산삼을 발견하면 저런 얼굴로 얼마 묵은 것인지 햇수를 셈해보지 않을까 생각이 들 정도였다.

"이런 건 어떨까?"

그가 반지 하나를 집어 내 손가락에 끼웠다.

"물어보셔도 전 뭐……."

"그럼 이건?"

환은 또 다른 반지를 골랐다.

"똑같은 거 아닙니까?"

"전혀 다른데……."

환이 말꼬리를 흐렸다. 안타깝게도 나는 정말 장신구에는 문외한이었다. 이런 물건을 골라본 적도 없었고, 내가 가질 거라 생각해본 적도 없었다.

"이편이 나을까?"

어찌 됐건 환은 내 손에 반지들을 하나하나 끼워보며 즐거워했다. 우리를 지켜보던 상인이 지겨운 듯 하품을 했다. 나도 원래 물건을 오래 고르는 것은 질색이었지만, 환의 얼굴을 보고 있으니 마냥 지루하지는 않았다.

마침내 환은 얇은 반지 하나를 골랐다. 조그만 반지 하나가 제법 값이 나갔다. 나는 손가락을 괜히 움츠렸다 펴보았다. 별것도 아닌 게 자꾸만 눈을 잡아챘다.

"마음에 드니?"

그의 물음에 멈칫했다.

예전에는 너무 행복해하면 벌을 받지 않을까 겁을 내곤 했다. 분에 넘치는 것을 바라면 귀신이 질투를 한다고 하니 말이다. 하지만 환을 한 번 잃은 후로 깨달았다. 행복한 그 순간을 실컷 누리지 못하는 것 또한 어리석은 짓이다. 귀신이 있다면, 질투할 테면 해봐라, 하고 멱살이라도 잡으면 될 일인 것이다.

언젠가 우리가 또 헤어지게 될 것을 안다.

그러니 미련한 후회는 남기고 싶지 않다.

하지만 역시 큰 소리로 기쁘다거나, 마음에 든다거나, 사실 정말 갖고 싶었다거나, 이런 소리를 해대는 것은 영 머쓱해서 고개만 끄덕이고 끝냈다.

환은 그걸로도 기쁜지 체신도 없이 나를 끌어안았다. 너무 꽉 안는 바람에 가슴팍에 콧대가 눌려 아팠다. 환이 걸핏하면 날 안는 바람에 그를 만나고 콧대가 내려앉은 것 같다. 어쩐지 요즘 거울을 볼 때마다 코가 낮아 보이더라니.

"여기는 사람이 너무 많은데요."

그렇게 말하면서도 그를 밀쳐내지는 않았다.

아무래도 섬에서 우리만 외따로 살다 보니 둘 다 버릇이 못되게 든 모양이다. 남들 눈은 생각을 못 한다. 환은 이제 범부에 불과하고, 나는 애초에 못 배운 사람이니 조금은 체신 없이 살아도 괜찮지 않겠냐고 속으로 변명했다. 다행히도 더위만큼 깊은 그늘은 우리의 모습을 적당히 뒤덮었고, 덕택에 우리에게 눈길을 주는 이는 아무도 없었다.

나는 그와 마주 안으며 눈을 감았다.

바쁜 수레 소리, 발소리 너머 멀리 파도 소리가 들리는 것 같은 착각이 들었다.

이 순간 우리가 있는 곳은 더 이상 한성이 아니었다. 당신의 품에 안기면, 늘 그 절벽 위로 돌아가고 마는 것이다.

반지를 산 후에도 그냥 들어가기 아쉬워 시장을 이리저리 둘러보았다. 온갖 지방에서 올라온 물산이 가득했다. 신이에게 줄 목각 장난감을 사고, 작년에 담갔다는 머루주와 쌀과자도 샀다. 한참 장을 보고 나니 어느덧 해가 지고 있었다.

집으로 돌아가야 할 시간이었다.

"더 갖고 싶은 것은 없니?"

환이 물었다.

"충분한 것 같습니다."

"난 네가 뭔가를 더 많이 바라면 좋겠는데."

"굳이 그러지 않으셔도 많이 아껴주시는 걸 압니다."

"굳이 그러고 싶어서."

"음……."

저 고집을 무슨 수로 꺾을까. 잠시 고민하다 어릴 적부터 꿈꿔왔던 작은 소원을 떠올렸다. 너무 케케묵은 소원이라 그런 것을 내가 바랐다는 것조차 잊고 살았다.

환과 있으면 잊고 살아온 것들이 하나둘 생각난다. 환이 자꾸만 나를 철부지로 만들고 싶어 해서 그렇다.

"집 마당에 배나무를 심었으면 좋겠습니다."

"배나무?"

"예. 가을이면 실컷 따 먹을 수 있게요. 어릴 땐 그런 게 부러웠거든요."

"지금 심으면 몇 해 후에나 먹을 수 있을 텐데."

"그럼 그때 먹지요, 뭐."

그리고 나는 할까 말까 하던 말을 덧붙였다.

"섬에서 지낼 적 마당에도 배나무가 있었잖아요. 그때 생각도 날 것 같습니다."

"그래, 그럼 내일 심자."

환이 내 손을 힘주어 쥐었다.

우리는 석양 아래를 천천히 걸었다. 그와 걷는 발걸음 하나도 아쉬워 땅을 지그시 눌러 밟았다. 신발 밑창에 뭉개지는 잔모래의 감촉이 보드라웠다.

더위를 밀어내는 저녁 바람과 작은 약속, 그리고 우리를 기다리는 집.

모든 것이 완벽한 순간이었다.

부디 이 순간이 끝나지 않았으면 하고 몰래 기도했다.

당신의 손을 잡을 때마다 헛된 기도를 하는 것은 내 오래된 악습이다.

신이에게 장난감을 사준 것은 처음이었다. 섬에 있을 때는 환이 나무토막이나 천으로 장난감을 만들어주려 몇 번이나 시도했지만, 늘 손만 다치고 제대로 된 것이 없었다. 보다 못한 내가 헝겊 인형과 나무 바퀴를 몇 개 만들어주었더니 그것들을 해질 때까지 갖고 놀았다.

오늘 시장에서 사온 장난감은 나무로 깎은 말이었다. 생김새도 정밀했고, 다리 관절이 절묘하게 연결되어 실제 말이 날리는 모습을 엇비슷하게 흉내 냈다. 말이 달리며 검은 실로 만든 갈퀴와 꼬리가 살랑였다.

"이것 봐."

나는 신이 곁에 앉아 목각 말을 천천히 움직였다. 말발굽이 바닥에 부딪히며 아주 작게 달그락달그락 소리가 났다. 새로운 장난감을 본 아이의 눈동자가 커졌다. 영 허술한 것들만 가지고 놀다 이런 게 생겼으니 관심이 갈 만도 했다.

신이는 방구석에서 헝겊 인형을 가져왔다. 말과 인형 크기가 비슷해서, 말 등에 인형을 태워놓으니 인형 다리가 끌렸다. 아이는 그런 건 아무래도 좋은지 인형을 태우고 놀다 갑자기 고개를 들었다. 신이는 말에 탄 인형을 쓰다듬었다.

"……마……."

아이가 입을 열고 웅얼거렸다.

"응?"

"……마……."

"나 부른 거야?"

혹시나 해서 물었지만 역시나였다. 아이는 힐긋 나를 올려다 보곤 무슨 소리냐는 듯 눈만 깜빡였다.

"그러면?"

아이는 대답 대신 인형 머리를 톡톡 치며 또 알아듣지 못할 소리를 옹알거렸다.

"설마 이게 나라고?"

신이는 세차게 고개를 끄덕였다.

"이게 왜? 어디가?"

내가 기가 차다는 듯 묻자, 아이는 뭐가 웃긴지 까르르 넘어갔다.

아이가 잠든 후 우리는 낮에 산 머루주를 한 잔씩 나누어 마셨다.

오늘은 조금 특별한 날이었다. 그 새침한 녀석이 말과 비슷한 무언가를 또렷이 내뱉긴 했으니 말이다. 그런데 한 잔 비우고 나니, 아이가 처음 몸을 뒤집거나 걸음을 뗐을 때도 술을 딴 기억이 났다. 그 작은 것이 나날이 사람이 되어가는 게 우리에겐 꽤나 신기하고 재밌는 일이었던 것이다.

"이렇게 하나하나 기념하다 보면 술이 마를 날이 없겠습니다."

"그런 게 좋지 않니?"

환이 슬쩍 미소 지었다. 술 먹는 게 좋은진 모르겠지만, 환이 웃는 얼굴을 자주 볼 수 있으니 좋다.

"그런데 말입니다. 왜 이런 걸 보고 저라고 하는지 도통 모르겠습니다."

나는 신이가 놀다 내던져둔 헝겊 인형을 집었다. 눈, 코, 입도 없고 간신히 팔다리 형태만 갖춘 허술한 인형이었다. 이게 어딜 봐서 날 닮았는지 모르겠다.

"이게 절 닮았습니까?"

"응."

"예?"

"아, 아니. 전혀 안 닮았지……."

환은 얼른 내 시선을 피했다.

"인형을 좀 다시 만들어줘야겠습니다."

"그럴까? 여긴 천이나 실 같은 재료를 구하기도 좋으니. 내일

같이 나가서 사자."

"왜요? 나리께서도 하나 갖고 싶으십니까?"

"좋지."

"그런 걸 뭣하려요?"

"그냥 갖고 싶어서."

"드릴 만한 물건은 아닌 것 같습니다."

"왜?"

"아무튼 싫습니다."

너무 못난 인형을 만들까 봐 창피해서 한 소리인데, 환은 내 대답에 약간 토라진 얼굴이 되었다. 나는 그 눈빛을 모른 체하고 말을 돌렸다.

"그나저나 장난감을 사주니 입을 여는 걸 보면, 더 비싼 걸 주면 말도 술술 하지 않을까요?"

"그러면 안 될 것 같은데."

환이 낮게 웃으며 고개를 저었다.

한성에서의 첫 밤이 깊어갔다. 술병을 비우고 이런저런 이야기를 나누다가 자리에 누웠다. 밤에 소나기라도 오는지 밖에서 토독토독 물방울 튀는 소리가 들려왔다.

"곧 장마가 오겠네요."

등불을 끄고 말했다. 환과 다시 만난 후 나는 장맛비가 좋아졌다. 장마가 오면 우리는 비를 핑계로 함께 있었다. 올 장마도 그렇게 보내게 될 것이었다.

"쭉 여기서 지내는 것도 괜찮겠니?"

환이 물었다.

"예. 전 한성이 좋은데요. 신기한 것도 많고, 맛있는 것도 많지요. 이부자리도 이렇게 푹신하고, 또 다정한 사람들도 많지 않습니까?"

이를테면 당신 같은.

그러나 환이 입술을 부딪친 까닭에 그 말은 삼켜야 했다. 그는 내 아랫입술을 가볍게 깨물었다. 처음에는 마른 입술이 스치는 소리가 나다가, 이내 타액이 섞이며 조금씩 물기 젖은 소리로 변해갔다. 그의 혀끝이 입천장을 간지럽혔다.

우리는 어느새 서로를 꽉 끌어안고 있었다. 얇은 침의가 방해물처럼 느껴졌다. 그도 같은 생각을 했는지 조금 섣부르고 불친절하게 내 옷을 풀어헤쳤다.

얇은 천이 벗겨지자 그의 열기가 더 선명하게 닿았다. 근육들이 하나하나 긴장했다.

그는 입술을 붙인 채 내 위에 자리를 잡았다. 다리가 벌어지며 허벅지 안쪽이 바짝 당겼다. 자연스럽게 숨이 차올랐다. 호흡이 가빠지는데도 그는 계속해서 나를 몰아붙였다. 거의 밀쳐내듯 입술을 떼고 애원했다.

"아, 산, 나 숨……."

그는 그제야 내 입술을 놓아주었다. 그의 입술이 자연스럽게 목덜미로 내려갔다. 목덜미 아래에 까끌까끌한 턱이 닿아 간지러웠다. 그가 걸치고 있던 옷이 떨어지는 소리가 났다.

이럴 때마다 나는 환이 낯선 사람 같았다. 코끝에 닿는 체취는 여전히 익숙해서 안도가 되면서도, 몸은 어째선지 긴장하고 굳어버리는 것이다.

욕정은 때론 두려움과 비슷했다. 이토록 원하면서도 동시에 도망치고 싶었다. 그는 도망가지 못하게 하려는 듯 내 어깨를 꾹 잡았다. 몸을 겹칠 때마다 나는 두려움과 갈망을 잘 구분하지 못했다. 겁을 먹은 짐승처럼 본능적으로 움츠리면서도 그를 안으려 팔을 뻗곤 했다. 이 끝에 황홀한 나락이 기다린다는 것을 이미 잘 알고 있기 때문이었다.

그는 손바닥으로 내 이마를 달래듯 쓸었다. 그리고 입술을 톡톡 부딪치듯 가볍게 입을 맞췄다. 부드러운 감촉에 긴장했던 마음이 조금씩 녹아들었다.

그러나 다정함도 잠시, 그는 내 어깨를 아플 정도로 세게 물었다.

"으……."

앓는 듯한 소리를 좋아하는 건 그의 악취미다.

인상을 찌푸리면서도 그의 몸을 더 가까이 끌었다.

조금 더 세게 안아줬으면 좋겠다. 조금 더 이기적으로 나를 원했으면 좋겠다.

내 마음을 읽기라도 한 듯 그는 내 몸을 부서트릴 듯 안았다.

점점 나와 당신의 경계가 흐려진다고 생각했다. 그 무뎌진 경계 속으로 당신이 들어온다. 스며드는 것 같기도 하고 파고드는 것 같기도 하다. 끓어오른 체온과 흐트러진 숨소리가 나를 점차 잠식했다.

밤이 더 깊었다. 아마 자정을 훌쩍 지났을지도 몰랐다.

그는 잠이 들었고, 깨어 있는 것은 나 혼자였다.

혼자인 듯 혼자가 아닌 이 순간을 나는 제법 좋아한다.

밖에서 빗방울이 나뭇잎을 두들기는 소리와 이름 모를 새의 울음소리가 들렸다. 지금쯤 아이는 요람에서 몸을 뒤척이고 있겠지.

어느 것 하나 사랑스럽지 않은 것이 없는 밤이었다.

나는 가만히 당신의 숨소리를 들으며 눈을 감았다.

잠결에 나를 끌어안는 팔이 사랑스러웠다. 내일은 마당에 묘목을 심기로 당신과 약속한 것을 떠올리고 빙긋이 입꼬리를 올렸다. 나무는 아이처럼 무럭무럭 자라 꽃을 피우고 열매를 맺겠지. 그 나무가 고목이 되어버릴 때까지 함께 있고 싶다고 생각했다.

어쩌면 그때는 나도 그 나무처럼 시들어버릴지도 모르지만.

그래도 여전히 당신은 나를 안아줄 테니.

그날까지 나는 이렇게 당신의 품에서 하루하루 손톱만큼씩 닮아갈 것이다.

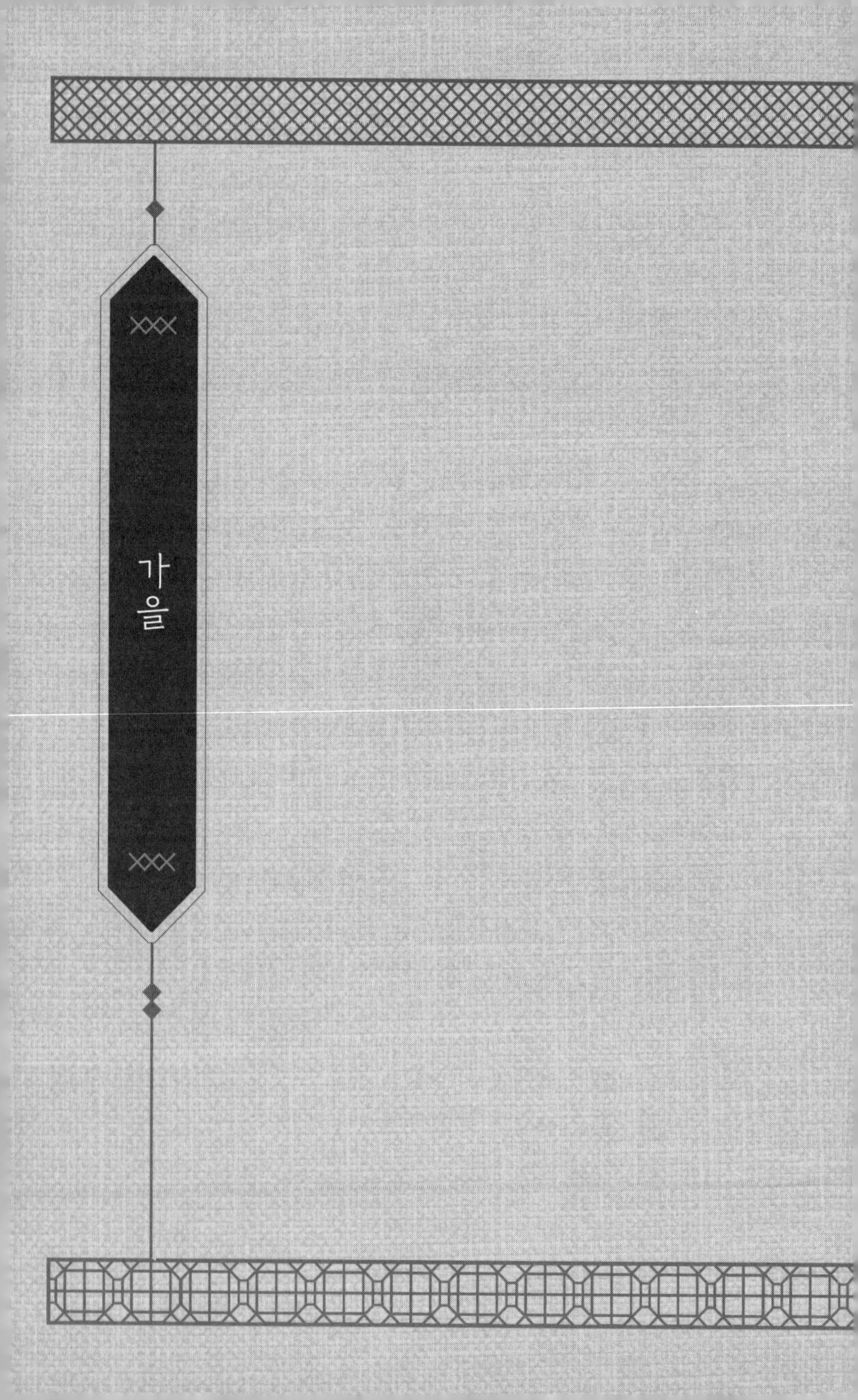

가을

나는 빈 의자를 끌어 내 옆에 놓았다.
그리고 의자 위에
하나 남은 낙엽을 가만히 올려두었다.
이곳이 너의 자리였다.
빈 자리였다.

달이 매일 모습을 달리하는 것이 신기하지 않으냐고 너는 물었다. 영휴盈虧를 뜻하는 것이냐 반문했더니, 그것이 아니라 같은 보름달이라도 모양이 그때그때 다르다 했다. 어느 날은 은은히 붉다 어느 날은 눈부시게 희기도 하고, 어느 날은 손톱만치 작다 또 어느 날은 유독 큼지막이 뜨기도 한다고. 서산 너머로 달이 져버리면 우리가 보르는 어딘가에서 누군가 달 위에 물감을 다시 칠하고 점토를 덧대는 것이 아닐까 너는 상상하곤 했지. 그 말을 듣고 한참을 웃었지만, 잠들기 전 문득 정말 그럴지도 모른다는 생각을 했었다. 네 엉뚱한 말은 언제나 한꺼풀을 벗겨보면 기묘한 진실이 숨어 있어, 나는 네 말 한마디 한마디를 늘 오래 곱씹곤 했던 것이다.

그날의 대화 이후, 나는 매일 밤 달을 면밀히 살피게 되었다.

달은 네 말대로 늘 다르다. 정말 낮 동안 누군가 달을 칠하고, 조몰락대는 것일까.

서에서 동으로 건너오는 동안 달에게 무슨 일이 일어나는지는 아무도 모른다.

우리가 지금 서로에 대해 어떤 소식도 제대로 듣지 못하듯이.

그럼에도 밤이 오면 달이 다시 뜨는 것처럼, 우리가 언젠가 다시 만나게 되리라는 희망을 아주 놓을 수는 없었다.

너에게 나를 잊으라 당부해놓고는 말이다.

네가 나를 잊어주길 바랐고, 기다려주길 바랐고, 내 죽음을 믿어주길 바랐고, 부정해주길 바랐다. 갈팡질팡하는 욕심은 사그라들 줄 몰랐다. 더 매정할 것을. 나는 그토록 미련이 뚝뚝 묻어나는 편지를 쓰고도 성이 차지 않았던 것이다. 한 번쯤은 내 생사를 알릴 길이 없을까 그런 부질없는 고민을 자주도 했다.

어째서? 네가 내 존재를 기억하며 기다려주길 바라나? 언제 돌아갈지 기약도 없는 주제에 너를 옭아매기라도 하고 싶은 건가?

자신에게 던지는 질문에 차마 정직한 답을 하지는 못한 것은 내 마지막 양심이었다.

가끔은 네가 너무 그리워 가문 땅처럼 몸이 쩍쩍 갈라지는 것 같을 때도 있었다. 그럴 때마다 꿈을 꿨다. 어느 봄날 너와 재회하는 백일몽이었다. 불가능한 꿈이 나를 달콤하게 파먹도록 내버려 두고 나서야 간신히 숨통이 트였다.

그런 날이 올 리가 없다. 그런 날이 와서는 안 된다. 그렇게 자신을 타이르는 목소리는 점차 힘을 잃어갔고, 당장이라도 네게 돌아갈 방법은 없을지 고민하는 내가 있었다.

오늘 편지 한 통이 도착했다. 겉봉에는 아무 이름도 적혀 있지 않았지만, 발신인을 알기는 어렵지 않았다. 나와 서신 왕래를 하는 이는 한 사람뿐이었다.

그것은 멀리 고국에 남은 동생으로부터의 편지였다. 내 존재를 철저히 은폐하기 위해 편지는 돌고 돌아 여기까지 왔다. 봉투 겉에 묻은 흙먼지와 얼룩이 그 험난한 여정을 보여주는 듯했다.

늦은 밤 책상 위 호롱불을 켰다. 창밖에서 불어온 바람은 벌써부터 겨울인 듯 쌀쌀했다. 내가 머무는 후백의 수도는 고국보다 훨씬 북쪽이었다. 이곳은 겨울이 여름보다 길었고, 가을은 언뜻 오는 듯싶다가 사라지는 곳이었다.

디행이었다. 우리가 이별한 것도 가을이있다. 가을이 길었너라면 슬픔을 견디지 못했을 것이다.

짧은 가을 동안 나는 낙엽을 주웠다. 언젠가 너와 가을이 오면 낙엽을 가득 주워 책갈피로 말리자 약속했던 것 때문이었다.

어쩌면 너도 그곳에서 이렇게 낙엽을 줍고 있지 않을까. 우리가 서로의 약속을 기억한다면, 적어도 그 순간만큼은 서로 잇닿아 있는 것이 아닐까. 그런 헛된 망상으로 하나둘 모아온 것이 벌써 수십이 되었다. 갈 곳을 잃은 낙엽들은 책상 위에 소복하게 쌓여 있었다. 그것들을 곱게 옆으로 치워두고 편지를 펼쳤다.

편지는 간략하게 내 안부를 묻는 것으로 시작했다. 조정의 어려운 사정, 좌상 일당의 횡포, 한성의 혼란, 앞으로의 계획……. 그런 소식들이 한참 이어지다 말미에 드디어 내가 가장 궁금했던 이야기가 나왔다.

……형님께서도 아시다시피, 그 애는…….

내가 그렇게 부르는 걸 싫어하는 걸 알면서도 안유군은 꼭 너를 어린애 취급했다. 인화라는 이름이 버젓이 있는데도 말이다. 눈살을 찌푸리고 종이를 넘겼다.

작년 가을에 섬으로 돌아갔습니다. 지금이 한여름이니 그게 벌써 일 년쯤 된 일이군요. 이 편지가 도착했을 때는 아마 가을이겠습니다만……. 이후로도 줄곧 연락을 주고받았습니다만 안부를 전하지 못했던 것을 용서하십시오. 제가 이 소식을 전하는 게 옳을지 어떨지 저어되어 적지 못했습니다.

서신을 띄울 때마다 나는 네 안부를 물었다. 어째선지 돌아오는 답장에는 네 이야기가 없었지. 그게 불안해 더 집요하게 물어볼 수밖에 없었다.

다음 줄을 읽기 전에 잠시 심호흡을 했다. 어떤 예감 때문일까, 편지를 계속 읽어내리는 것이 두려웠다. 그렇다고 여기서 편지를 접어버릴 만큼 심지가 굳지도 못했다.

지난겨울 그 애에게 혼처를 구해줬습니다.

그것은 내가 바라고 두려워하던 소식이었다. 다음 문장을 바로 읽지 못하고 한참이나 멍하니 창밖을 응시했다. 가을밤이었다. 새하얀 달이 물끄러미 나를 내려다보고 있었다. 아마 내 얼굴도 저 달만큼이나 창백하리라 생각했다.

편지는 계속 이어졌다.

잘 아시듯 쇠고집인 아이라, 제가 설득하느라 얼마나 애를 먹었을지 짐작이 가실 겁니다. 상대는 옆 마을에 사는 평판이 제법 좋은 식자인데, 원체 집안이 번듯합니다. 저는 직접 보지는 못했습니다만, 보고 온 사람 말로는 얼굴도 반반하고 기품이 있다 하더군요. 성품도 자상하고, 또 그 애보다도 두 살이 어리니 이 이상의 혼처는 없으리라 생각하고 거듭 권했습니다. 형님께서 내심 이 일을 바라지 않으실 거라는 생각은 했습니다. 그러나 이렇게 하는 것이 옳다고 생각하실 것도 알고 있었습니다. 제게 몇 번이나 편지로 그 아이의 행복을 당부하시지 않았습니까?

그랬던가. 내가 그런 알량한 소리도 해댔던가. 힘없는 한숨이 종잇장에 부딪혀 흩어졌다.

처음에는 그 남자에게 정을 못 붙이나 싶더니, 올겨울엔 첫 아이를 해산한다는 소식을 들었습니다.

편지의 다음 줄을 읽을 수 있게 된 것은 한두 시진 뒤였다. 다음 줄을 읽으려 하면 시야가 흐려져 고개를 들고 허공만 보았던 것이다.

새소리, 바람 소리, 하늘에서 별이 뜨고 지는 소리마저 시끄러웠다.

방에는 작은 창이 나 있었다. 원한다면 녹색 휘장으로 창을 가릴 수 있었지만, 휘장을 친 적은 한 번도 없었다. 작은 방에 홀로 고립되는 기분이 싫었던 것이다.

일어나 휘장을 쳤다가 갑갑해서 열기를 여러 번 반복했다.

나는 이국의 땅에 갇혔고, 너는 다른 누군가와 살아가고 있다 한다.

이것을 어떻게 받아들이면 좋을까.

바람도 없는데 촛불이 흔들렸다.

귀신이라도 이 방을 휘젓고 다니는 것 같았다.

그러다 언뜻 거울에 비친 모습에 내가 바로 그 귀신이라는 걸 알았다.

귀신이 이렇게 세상을 활보해도 되는 것일까?

거울에 비치는 내 모습이 싫어 불을 껐다가, 잠시 후 어둠을 못 견뎌 다시 등불을 밝혔다.

그렇게 한참을 서성인 후에야 편지를 계속 읽을 수가 있었다.

형님께서도 더는 그 애 걱정을 하시지 않는 편이 좋지 않을까 합니다. 그동안 마음 상하실까 솔직히 말씀드리지는 못했습니다만, 제가 계속 이렇게 그 애와 접촉하는 것도 혹여나 주상의 눈에 들까 조마조마합니다. 저는 그 아이가 이 일에 더 휘말리길 바라지 않습니다. 형님께서도 물론 그러시겠지요.

안유군의 말은 구구절절 옳았다. 배려와 걱정과 미안함이 획마다 묻어났다.

> 형님께서 무사히 돌아오신다면 더없이 좋겠지만, 아직 아무것도 확신할 수 없는 상황 아닙니까. 혹여나 이 눈속임이 들키는 날에는 형님의 안위도 위험할 겁니다. 게다가 저는 제 목숨의 향방조차 알지 못합니다. 그러니 그 아이는 최대한 우리와 상관없는 편이 좋겠지요. 타지에서 애쓰고 계시는 분께 이런 말을 할 수밖에 없는 저도 참담할 따름입니다. 부디 이제 그 아이의 일은 잊고, 그곳에서 마음을 다잡으시길 바랍니다.
>
> 해가 바뀌기 전에 다시 글 올리겠습니다.

편지를 접었다. 차마 찢을 수는 없어 고이 봉투에 넣었다.

안유군은 당연한 일을 한 것이다. 하지만 영영 내가 이 사실을 몰랐더라면 더 좋았을 뻔했다. 그럼 나는 허튼 희망과 망상 속에서 하루하루를 살 수 있었을 테니.

창문 밖으로 몸을 살짝 내밀었다. 찬바람을 쐬어도 정신이 깨지 않았다. 삼 층 창문 위를 가로지르던 나뭇가지에는 이제 잎이 거의 남아 있지 않았다. 가지에는 꽃이나 잎 대신 비쩍 마른 가시가 듬성듬성 돋아 있었다. 머릿속이 분주한 탓인지 이마가 후끈했다.

"굳이……."

나도 모르게 원망하는 음성이 새어 나왔다. 하지만 곧 원망해야 할 대상은 안유군이 아니라 나라는 것을 알았다.

벌을 받는 것이다.

안유군은 네가 관을 잡고 울었다고 했다. 다가가지도 못하고 멀찍이서 보는데도 그 울음이 허공을 찢었다고 했다. 멀리서 듣는데도 괴로워 그대로 듣고 있을 수도 없고, 그렇다고 귀를 막을 수도 없었다고 했다.

가엾은 너를 그렇게 아프게 했으니, 그리움조차 허락받지 못하는 것이다. 꼭 그만큼 괴롭고 아파야 하는 것이다.

붓을 잡고 종이를 꺼내 동생에게 답서를 썼다.

굳이 내게 이 소식을 알려줘야 했던 거냐?

한 문장을 썼다가 스스로가 너무 초라하게 느껴져 곧바로 화롯불에 던져버렸다.

잘된 일이다. 나라도 그렇게 했겠지.

이건 거짓말이었다. 내 문장을 내가 참을 수 없어 이것도 태워버렸다. 책상 위에 수북이 올려두었던 백지들이 한 장씩 사라져

갔다. 쓰다 만 편지마다 나는 다른 사람이었다. 화를 내고, 칭찬하고, 자신을 연민하고, 괜찮은 척했다. 갈피를 못 잡는 문장들은 고작해야 두 줄을 넘기지 못한 채 타버렸다.

그날 밤 남은 문장은 없었다.

재만 있었다.

책상 앞에서 아침을 맞았다. 아무것도 하고 싶지 않았지만, 하루를 살아야만 했다. 어쨌거나 잘된 일 아니냐. 너는 그 따뜻하고 작은 섬에서 누군가의 품에 안겨 아침을 맞고 있을 텐데.

오전에는 심우천과 다관에서 만남이 예정되어 있었다. 심우천은 후백의 왕이 총애하는 자로, 외교 전반의 업무를 도맡고 있었다. 맡은 일이나 그 학식을 보면 문관이라 착각하기 쉬우나, 본래는 무관으로 여러 전투에 직접 출전했던 경험도 적지 않았다. 후백의 왕이 심우천에게 나의 편의를 봐주라 명했기에 여러 가지로 신세를 지고 있었다. 그들 역시 나에게 바라는 게 있었기에 내린 결정이었다.

거울 앞에서 의관을 정비했다. 이국의 옷을 입은 내 모습이 낯설었다. 되도록 눈에 띄지 않으려 최대한 남들과 비슷하게 입었다. 이곳에도 조정에서 보낸 눈이 없다고 확신할 수는 없었다. 공식적으로 나는 죽은 사람이건만, 왕과 좌상은 의심을 완전히 거두지 않았을 테니 말이다.

말을 타고 잘 닦인 흙길을 달렸다. 느지막이 뜬 해는 한층 더 강렬하게 빛을 내리쬐고 있었다. 눈이 부셔 인상을 잔뜩 찌푸리고 말을 몰았다. 오가는 행인이 많은 탓에 말은 시원스럽게 달리지도 못했다. 흙먼지는 어찌나 심한지 숨 쉴 때마다 모래를 삼키는 것 같았다. 무심결에 고국으로 돌아가고 싶다는 생각을 했다.

하지만 네가 없는 그곳에 간들, 공허함과 질투심만 나를 마중 나오겠지.

그러니 절대로 돌아가지 않으리라 다짐을 했다. 왕좌도 지키지 못하고 조정을 피로 물들일 계기까지 주었으니 이 정도 유형도 퍽 가벼운 벌이 아닌가 하는 생각마저 들었다.

얼마 가지 않아 심우천과 만나곤 하는 다관에 도착했다. 점원이 나를 알아보고 방으로 안내했다. 벽이 두꺼워 문을 닫으면 밖으로 이야기가 새지 않는 공간이었다.

심우천은 나를 홀로 기다리고 있었다. 그는 마흔아홉이었다. 머리는 희끗희끗했지만 체격은 어지간한 청년들보다 좋았다. 불 같은 눈빛도 여전해서 사지를 건너며 살아왔다는 것을 알 수 있었다.

내가 후백에 온 지도 벌써 이 년이었다. 처음에는 불편했지만, 이제는 통역 없이 대화를 나눌 수준이 되었다. 오로지 살아남기 위해 익힌 것이었다. 심우천과 내가 나누는 대화가 새어나가서는 곤란했기에 괜한 사람을 끼우지 않아도 되어서 좋았다.

"피로해 보이십니다."

심우천은 준비해둔 차를 따라주었다. 별로 마시고 싶지 않아 가볍게 입만 대고 내려놓았다.

"어제 잠을 좀 설쳤습니다."

"가을밤은 바람이 나뭇가지만 흔들어도 심란하지요. 그렇지 않습니까?"

"글쎄요, 가을은 벌써 가버린 것 같습니다. 이제 창을 열어두니 춥더군요."

"아직은 가을입니다. 원래 이곳의 가을은 이렇게 춥습니다. 아마 이안군이 기억하는 가을은 훨씬 따뜻하겠지요."

문득 너와 손을 잡고 걸었던 가을날을 떠올렸다. 맞닿은 손의 열기가 포근했었다. 바람이 식어도 추운 줄 몰랐다. 헤어지기 전날이었다.

내가 기억하는 가을이 훨씬 따뜻할 것이란 심우천의 말은 사실이었다. 내 가을은 그날에 멈추어 있으니 말이다.

그는 아마 내 고국이 이곳보다 남쪽임을 염두에 두고 한 말이겠지만.

"어제 편지는 읽어보셨습니까? 오늘 제가 직접 전해드릴 수도 있었겠지만, 하루라도 빨리 보시는 게 나을 것 같아 인편으로 전

달했습니다."

"감사합니다."

다행이었다. 심우천의 앞에서 편지를 읽었더라면 말미에 내 감정을 숨기지 못했을 것이다. 나는 심우천에게 믿을 만한 상대로 보여야 했다. 더 냉혹히 말하자면, 충분한 이용 가치를 보여줘야 했다. 편지 한 통에 무너져 내리는 나약한 인간이어서는 안 되었다.

"잠을 이루지 못하신 걸 보니……. 편지의 내용이 좋지 않았나 봅니다."

심우천이 넌지시 나를 떠보았다.

"아닙니다. 한성의 상황은 이전보다는 여러모로 나아졌다고 합니다. 안유군도 잘하고 있고, 도와주신 덕분에 조정의 분위기도 조금은 바뀌었다고 합니다. 특히 사람들을 돌려보내주신 것이 크게 영향을 끼친 것 같습니다."

"다행이군요. 변변찮게 거들어드린 것인데 결과가 나쁘지 않다고 하니 마음이 놓입니다. 폐하께서도 기뻐하실 겁니다."

"폐하께는 늘 감사드리고 있습니다."

내 말에 심우천은 미소를 지었다. 심우천은 자신의 잔에 다시 차를 따랐다. 정갈한 풀 냄새를 담은 다향이 짙게 퍼졌다.

"그럼 잠을 이루지 못한 것은, 역시 두고 온 사람 때문입니까?"

심우천이 물었다. 나는 찻잔만 매만졌다. 내 침묵을 그는 긍정으로 받아들인 모양이었다.

"일전에 이안군이 제게 고국에 개인적으로 연락을 취할 방법이 없느냐고 물어보신 적이 있었지요. 그때 연락하고 싶었던 그 사람의 소식이라도 적혀 있었습니까?"

"제가 염치없이 그런 말씀도 드렸었군요."

새삼 얼굴이 화끈거려, 모르는 일인 양 말했다. 심우천은 크게 웃었다. 당연히 나도 그 일을 기억하고 있었다. 심우천에게 두 번이나 그 말을 꺼냈으니까.

그저 딱 한 사람에게만, 생사라도 알리면 안 되겠냐고.

어쩌면 안유군이 심우천에게 무슨 말을 들었을지도 모르겠다. 그래서 그토록 가차 없이 일을 진행해야 했는지도 모르겠다.

잘못한 것은 나다. 내 그리움이 죄다.

"혼인을 했다고 합니다."

어지러웠다.

"그렇습니까?"

심우천이 담담히 되물었다.

"그건 축하할 일이군요."

축하? 축하라고?

예의상으로도 동조할 수가 없었다. 미처 계산할 새도 없이 삐딱한 말이 흘러나왔다.

"축하할 일인지는 모르겠지만, 적어도 이제 더 이상 제 생사를 알릴 필요는 없을 것 같습니다."

오히려 더욱 철저히 죽은 사람으로 살아가는 게 좋을 것이다. 이제 내가 살아 있단 사실을 알린들, 괜한 슬픔과 미안함만 부추길 테다.

나는 죽은 거다. 네 눈물을 맞은 그 시신이 바로 나다.

나였다.

나였으면 좋았을 것 같다.

바람결에 낙엽 몇 개가 떨어졌다. 낙엽을 주워서 책마다 끼워놓겠다던 네 천진한 얼굴이 떠올랐다.

심우천의 말은 틀리지 않았다. 그것은 축하할 일이었다.

나를 사랑해달라 부탁하지 못했기에, 떠난 너를 원망할 수 없었다.

속에서 울컥 올라오는 것을 억누르고 식어버린 차로 입술을 축였다. 차가운 것이 입술에 닿자 조금은 냉정을 찾을 수 있었다.

심우천은 찬찬히 나를 살피더니 입을 열었다.

"잘 아시겠지만, 저는 꽤 오랜 시간을 전장에서 보냈습니다."

창밖의 마른 가지가 파르르 몸을 떨었다.

"오랜 세월 동안 이곳은 싸움이 끊이지 않던 곳이었지요. 허허벌판을 두고 젊은이들이 많이도 죽었습니다. 징발당한 장병들은 보통 겨울이 오면 집으로 돌아갈 수 있습니다만, 어떨 때는 몇 년이고 전장에서 지루한 시간을 보내야 합니다. 말이 전장이지 그럴 때는 서로 경계만 하고 있는 시간이 더 길지요. 자연히 고향과는 제대로 연락도 되지 않습니다."

나는 심우천이 무슨 말을 하려는지 몰랐다. 그저 잠자코 가지에 남은 낙엽만 세고 있었다.

"그렇게 긴 세월이 지나 고향에 돌아왔을 때, 기다려줄 거라 생각한 여자가 다른 남자와 혼인해버렸다거나, 뭐, 그런 일이 비일비재했습니다."

천천히 심우천 쪽으로 시선을 돌렸다. 심우천의 입가에 걸린 쓴웃음이 눈에 들어왔다.

"이 이야기를 하시는 까닭이……."

나는 말머리를 던지고 심우천의 답을 기다렸다. 그런데 그는 미소만 띤 채 아무 말이 없었다.

"겪으셨던 일입니까?"

하는 수 없이 내가 다시 물었다. 이번에도 그는 한참 뜸을 들이더니 내가 침묵에 지칠 무렵에야 입을 열었다.

"……저를 기다려준다던 사람도 있긴 했지요."

"그분이……."

"그런 이야기는 대개 결말이 비슷합니다."

심우천이 내 말을 끊었다. 아무리 망명한 처지라 해도 심우천은 늘 나를 예우해주었다. 이런 무례가 처음이어서 당황스러웠지만 내색하지는 않았다.

"죄송합니다. 가슴 아픈 기억이라 그만."

그도 곧 실수를 깨달았는지 사과했다. 그가 그 기억을 힘겨워하는 것 같기에 이 이야기는 여기서 그만해야겠다고 생각했다. 그런데 내가 미처 새로운 화제를 찾기도 전에 심우천이 말을 이었다.

"무척이나 착한 사람이었습니다. 늘 떨어져 있는 것을 서운해했지만, 떠날 때면 언제든 부적이라며 팔찌 같은 걸 엮어주곤 했지요. 아직도 그걸 가지고 있는데……. 이안군, 괜찮으십니까?"

"예, 괜찮습니다. 말씀하시죠."

숨을 돌리고 고개를 끄덕였다. 순간적으로 네가 준 팔찌가 떠올라 가슴을 쥐어뜯고 싶었다. 매정하게도 나는 그 물건을 시신에 딸려 보냈다. 그래야 네가 이 죽음을 믿을 거라 생각했다. 그게 너를 위한 일이라 생각했다.

이렇게 후회할 줄 알았다면 네 파편 하나는 남겨둘 것을.

"그런 사람을 너무 외롭게 했던 거겠죠. 그래서 많이 아팠던 걸 테고."

심우천이 중얼거렸다. 그는 곧 억지 미소를 지었다.

"아무튼 제 말은……. 너무 슬픈 얼굴을 하실 필요는 없다는 이야깁니다, 이안군."

내가 어떤 얼굴을 하고 있는지 몰라 유리창에 내 모습을 슬쩍 비추어 보았다. 유리창에 떠오른 흐릿한 내 모습은 마치 귀신처럼 보였다.

"게다가 그 일이 꼭 나쁘다 생각할 필요는 없지 않습니까? 어쨌거나 둘 중 한 사람은 행복하게 살아갈 테니까요."

심우천이 위로하려는 것이 나인지 아니면 자기자신인지는 알 수 없었다. 그는 유리창을 조금 열었다. 밀려 들어온 바람에 탁자보가 팔랑거렸다.

"원하지 않는 이별은 죽음만큼 힘들죠. 그래도 시간이 지나면 모두 잘 살아가더군요."

심우천이 말했다.

"모두가요?"

"모두는, 아니겠죠. 어떤 사람들에게는 유독 평범한 일들이 어렵습니다."

그의 목소리가 가지 끝의 낙엽처럼 불안하게 떨린다고 생각했다.

"그냥 처지 때문에 어쩔 수 없는 것이기도 하고, 타고난 성격 때문이기도 하고……. 평범한 가정을 이루는 그런 일들 말입니다."

그가 씁쓸하게 입맛을 다셨다.

"……그래서였습니까."

내 말에 심우천은 웃는 듯 마는 듯했다.

"여태껏 혼자 지내시는 이유 말입니다."

심우천이 또 크게 웃었다.

"이안군의 말은 어폐가 있군요. 저는 혼자가 아닙니다. 폐하께서도 저를 아껴주시고, 또 이렇게 멀리서 온 좋은 벗도 생기지 않았습니까?"

심우천의 말에 속이 뜨끔했다. 정직하게 말하자면 나는 심우천을 벗으로 여긴 적이 없었다. 어디까지나 서로 주고받을 것이 있는 관계로 보았을 뿐이었다. 사람을 저울에 달아보는 버릇을 여전히 버리지 못한 까닭이었다.

"하지만 그 말이 그때 그 여자 때문에 이후로도 누군가를 만나지 못했냐는 뜻으로 말한 것이라면……. 예, 맞습니다. 어쩌면 그때 한 사람을 너무 많이 그리워해서일지도 모르지요. 그때 제 마음이 닳아비렸는지, 시간이 흘러도 원래대로 돌아오질 않더군요. 무엇을 봐도 시큰둥하고 감흥이 들지 않아 일에만 매달렸습니다."

"상심한 사람에게 일만큼 좋은 약은 없으니까요."

"맞습니다. 어쩌면 다른 시작을 하기에는 지쳐버린 것일지도 모르겠습니다."

심우천은 시선을 내리고 말했다. 잊지 못했다는 말을 그는 지쳤다고 표현하는지도 몰랐다.

나도 언젠가는 네게 지치게 될까.

"그래도 이안군, 그 일을 너무 괴롭게 여기진 마십시오. 언젠가 이안군이 고국으로 돌아간다면…….”

“전 돌아갈 일이 없습니다.”

“아뇨. 이안군은 돌아가게 될 겁니다. 그리고 그땐 그 사람을 다시 볼 수 있겠죠. 그 희망으로 사는 것도 나쁘지 않을 겁니다. 아니, 꽤…… 괜찮을 겁니다.”

“돌아가지도 않을 거고, 만나지도 않을 겁니다.”

“꼭 만날 필요는 없지요. 그냥 멀리서……. 그 여자가 다른 남자의 아내로 행복한 모습을 지켜보는 그런 일 말입니다. 그 여자 손을 잡고 걷는 아이들을 먼발치에서 보는 그런 일……. 제법 괜찮을 것 같지 않습니까?”

무슨 소리를 하는 건지.

헛웃음이 났다.

그런 모습을 내 눈으로 보는 것은 생지옥을 걷는 느낌일 테다.

“이미 보시지 않았습니까? 그게 어떤 기분인지 아실 텐데요.”

내 말에 심우천은 한참이나 말이 없었다. 기이할 정도로 긴 침묵이었다. 그 사이 낙엽 하나가 바람을 이기지 못하고 아래로 뚝 떨어졌다.

“아뇨. 모릅니다.”

심우천은 입술을 깨물었다.

“아까 거짓말을 했습니다.”

“예?”

"저는……. 그런 모습을 본 적이 없습니다."

심우천이 도대체 무슨 소리를 하는지 감이 오지 않았다. 그는 눈을 꾹 감았다. 필사적으로 감정을 누르고 있는 듯이 보였다.

짧은 정적을 깨고 묵직한 음성이 울렸다. 자정을 알리는 종소리처럼 낮고 침울했다.

"제가 돌아왔을 때, 그 여자는 이미 죽었으니까요."

심우천은 천천히 눈을 떴다. 바싹 메마른 눈동자에 내 모습이 언뜻 비쳤다.

"그러니 살아서 그런 모습을 볼 수 있다는 게……. 행운이 아니면 무엇이겠습니까?"

목이 탔다. 다관에 와서 처음으로 차를 한 모금 마셨다. 나는 심우천을 외면하고 창밖만 바라보았다.

내 생각은 변하지 않았다. 다른 누군가의 아내가 된 너를 보는 일은 생지옥을 걷는 일이나 다름없다.

그리고 어떤 사람은 지옥보다 못한 곳에서 산다.

내가 너를 밀어 넣었던 수렁이 바로 그곳이었다.

심우천은 헤어지기 전에 또 이런 말도 했다.

그 여자가 죽은 후로 자신은 단 한 번도 행복한 적이 없었다고.

그 말을 듣고 나니 네가 나 아닌 누군가를 찾았다는 사실이 진심으로 다행이라 여겨졌다.

너는 적어도 그 굴레에서 벗어났다는 거니까.

내가 좋아하던 네 미소가 세상에서 사라지지 않았다는 거니까.

이런 비겁한 안도를 하며 방으로 돌아왔다.

창을 열고 아래를 내려다보았다. 검은 연못에 낙엽들이 떠다니는 모습이 보였다. 그 연못 위로 달이 언뜻 모습을 비쳤다. 고개를 들어 하늘을 보았다.

오늘 밤, 달은 푸르게 시렸다.

어쩔 수 없이 너를 떠올렸다. 네 손의 온기, 목덜미에 닿던 숨결, 연한 살 냄새, 부드러운 음색. 그러나 지금 나를 감싸고 도는 것은 너와는 어느 하나 닮지 않은 차가운 밤바람이었다.

내가 불행해지는 건 괜찮다. 네가 불행하다면 견딜 수 없을 거다.

그러니 나는 지금 아주 괜찮았다.

눈을 돌리니 책상 구석의 낙엽 더미가 보였다. 그것들을 두 손 가득 쥐고 화롯가로 가 하나하나 태웠다.

내가 한 부질없는 약속들과 미련이 한 줌 재로 변해갔다. 붉은 낙엽도 노란 낙엽도 결국 불에 타면 시꺼먼 재만 남았다. 어떤 사랑을 했든 간에 이별 후에는 지저분한 상처와 눈물만 남듯이.

마지막 낙엽 한 장을 태우지 못하고 한참을 쥐고 있었다. 이것만은 책 사이에 잘 끼워 네게 보여주고 싶다 생각했던 샛노랗고 흠 하나 없는 잎사귀였다.

결국 그 하나를 태우지 못하고 의자에 털썩 앉았다.

가을, 달이 밝고 외로움이 깊었다.

나는 빈 의자를 끌어 내 옆에 놓았다. 그리고 의자 위에 하나 남은 낙엽을 가만히 올려두었다.

이곳이 너의 자리였다.

빈 자리였다.

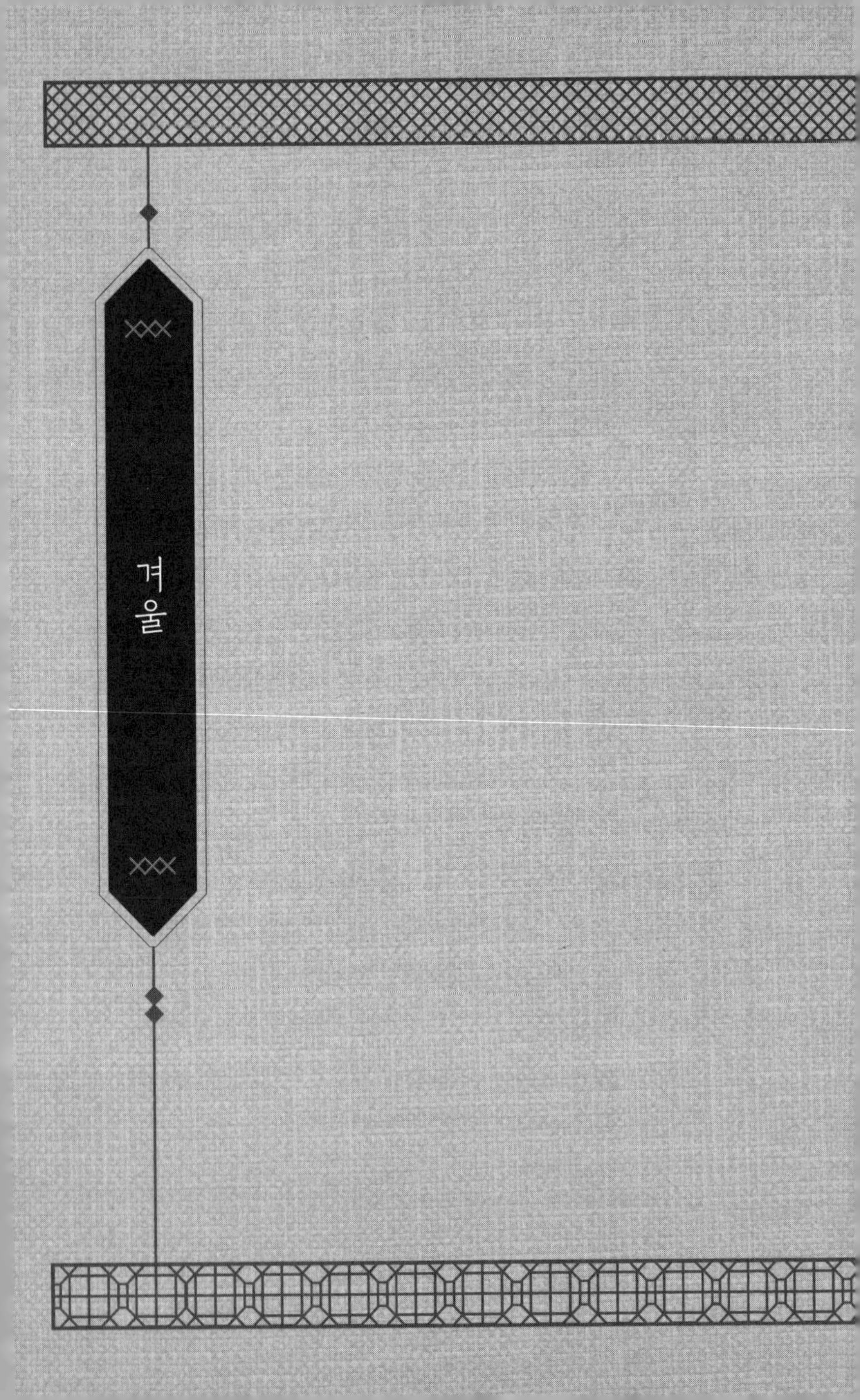

겨울

부드러운 음성이 귓가를 간지럽혔다.
눈이 내리는 소리보다
보드랍고, 바닥의 열기보다 따뜻한 목소리였다.

우리, 라는 말이 유독 살가운 계절이 왔다. 겨울이다.

신이와 환은 추운 줄도 모르고 마당에서 눈사람을 만들었다. 어젯밤 내린 첫눈이 발목까지 쌓여 있었다. 가을에 태어난 누런 강아지가 와서 함께 놀아달라는 듯 기웃거렸다. 신이는 멍멍 소리를 내며 강아지와 뛰놀았다.

한성에 온 지 고작 반년 만에 신이는 훌쩍 자랐다. 키가 반 뼘은 큰 것 같고, 혼자서도 잘 논다.

요사이에야 안 사실이지만, 아이들이 자란다는 건 점점 사고를 친다는 의미였다. 도대체가 몇 번을 가르쳐도 조용할 날이 없었다. 세상천지에 뜻대로 되는 일이 없다지만, 제 배 속에서 나온 것만큼 맘대로 안 되는 것도 또 없을 거다.

혼자서 사고를 치느냐면 그런 것도 아니다. 지금 뛰쳐나온 저 조막만 한 강아지가 신이의 가장 친한 친구이자, 우리 집을 시끄럽게 하는 공범이었다. 방에 앉아 바느질을 하고 있노라면 둘이서 멍멍 짖는 소리가 요란했다. 그러다 무언가 크게 부서지는 소리가 나서 달려가보면 강아지와 둘이서 장난질을 치는 데 여념이 없었다. 내가 화난 것을 먼저 알아챈 강아지가 낑낑 울면, 저도 강아지인 줄 알고 낑낑 소리를 흉내 내는 것이다.

바로 그 점이 요즘 나의 근심거리로, 저 어린 것이 도무지 사람 말에는 관심이 없고 동물 소리만 흉내 낸다는 것이었다. 강아지와 놀 때는 멍멍 소리를, 고양이와 놀 때는 야옹 소리를 낸다. 소가 지나가면 음메 하고, 말을 보면 히힝 울었다. 모르는 사람들이 보고 영특하다 칭찬을 하면 나는 웃어넘기는 게 다였다. 우리 애가 아직 말문은 제대로 못 뗐지만 동물 울음소리는 곧잘 낸다고 말하기도 민망했던 것이다.

환은 그런 것이 전혀 걱정되지 않는지 오히려 신이를 데리고 다니며 이런저런 동물들을 보여주고 울음소리도 알려주었다. 어릴 때는 무엇이든 좋아하는 것을 익히는 것이 좋다는 게 그의 지론이었는데, 아무리 봐도 그냥 재밌어서 그러는 것 같았다.

한성에서 두 계절을 지내며 신이는 조금 더 환을 닮아갔다. 둘이 저렇게 눈밭 위에서 놀고 있는 모습을 보니 나도 몰래 웃음이 새어 나왔다. 입가에 뿌연 김이 번졌지만 춥다는 생각도 들지 않았다.

그때 아주머니가 와서 나를 찾는 손님이 있다는 언질을 주었다. 자리를 털고 일어나 사랑채로 향했다.

찾아온 손님은 봇짐장수였다. 사랑채를 데워뒀는데도 굳이 추운 마루에 앉아 봇짐을 풀어놓은 모양새가 사내의 방랑벽을 보여주는 듯했다. 나이는 내 또래였고, 나와는 올가을에 처음으로 안면을 튼 사이였다. 내가 그를 알게 된 사연은 이러하다.

눈, 코, 입도 없는 민둥민둥한 헝겊 인형을 신이가 자꾸만 나라고 우기기에, 아무래도 제대로 된 인형을 만들어줘야겠다는 오기가 샘솟았다. 아무리 내가 밋밋하다 한들 나도 눈, 코, 입 정도는 있다 주장하고 싶었던 것이다.

그 길로 시장에 가서 이런저런 천과 실을 샀다. 그리고 짬이 날 때마다 인형을 하나씩 만들었다. 구경하던 환은 자신도 해보고 싶다고 끼어들었다가, 인간도 짐승도 아닌 무언가를 만든 후 바로 포기했다.

"대체 뭘 만들려 하셨던 겁니까?"

"처음에는 사람을 만들 생각이었지."

"그런데요?"

"만들다 보니 개를 더 닮은 거 같아서 개로 바꿨어."

"……그래서요?"

"그런데 만들다 보니 개랑은 너무 안 닮아서 나무로 바꿔볼까 했거든."

나로서는 도무지 이해가 되지 않지만, 환은 그것이 최선이었다고 항변했다. 어쨌거나 그날 이후로 환은 얌전히 구경만 했다. 어떤 일이든 나름 기쁨이란 게 있어 반복에 반복을 거듭하다 보니, 종래에는 꽤 그럴 듯하고 개성 있는 인형을 만들 수 있게 되었다.

그날도 신이를 데리고 시장을 가던 길이었다. 신이는 한 손은 나를 잡고 한 손으로는 내가 준 인형을 꼭 안고 있었다. 포목점을 들르려고 하는데, 젊은 사내 하나가 신이에게 말을 걸었다.

"얘, 너 그 인형 어디서 난 거냐?"

신이는 남자의 질문에 나를 톡톡 쳤다. 그 손짓을 본 남자는 내게 물어보라는 뜻인 줄 알았는지 말을 붙였다.

"아, 별다른 뜻이 있는 것은 아니고, 저 인형이 어디서 파는 물건인지 궁금해서 그럽니다."

"제가 만든 건데요."

내 대답에 남자는 멈칫하더니 곧 친절한 미소를 띠었다.

"아, 그렇습니까? 좀 자세히 봐도 될까요? 얘, 잠깐만 봐도 되겠니?"

그는 신이 손에 쥐어진 인형을 앞뒤로 살펴보았다. 그는 무엇을 생각하는지 잠시 턱을 쓸다 일어났다.

"혹시 이런 거 더 만들어두신 것 있습니까?"

"예. 그런데 무슨 일로 그러십니까?"

집에 가서 자식에게 선물이라도 하고 싶은 건가. 그럼 한두 개 주는 거야 일도 아니다. 그렇게 생각하던 차에 뜻밖에도 남자가 자신을 보부상이라 소개했다. 전국을 돌아다니며 이런저런 물건들을 파는데, 저 인형을 떼어다 팔아보고 싶다는 것이었다. 마침 연습 삼아 만든 인형이 너무 많아 처치 곤란이었는데 잘됐다 싶어 그러라고 했다.

남자는 그 길로 인형 스무 개쯤을 받아다 갔다. 전국을 떠도는 사람이라 겨울쯤 다시 방문하기로 했는데, 그게 오늘인 모양이었다.

"아주 잘 필렸습니다, 마님."

방물장수가 웃는 낯으로 인사했다. 내려놓은 짐 보따리엔 각지에서 모아온 이런저런 물건들이 보였다.

"마님은 무슨. 듣기 거북합니다."

"이런 집에 살면 다 마님이지요. 별 게 더 있습니까?"

손사래 치는 내게 남자가 넉살 좋게 대꾸했다. 나도 한때는 그렇게 생각했었다. 하지만 막상 내가 이곳으로 이사 와보니 사는 집이 달라진다고 사람이 특별히 대단해지는 것은 아니었다.

"이 동네 다른 집들도 많이 들르십니까?"

"보통은 장신구를 팔러 들르죠. 제가 안목이 높아서 마님들이 좋아하시거든요. 이 동네에 물건을 떼러 오는 경우는 별로 없습니다."

이곳은 궐담 옆 동네였다. 다시 말해, 궐로 드나드는 신분의 자들이 사는 곳이란 뜻이었다. 그런 집안에서 보부상에게 물건을 만들어 파는 경우는 거의 없을 것이었다.

"좀 이상합니까?"

조심스럽게 물었더니 남자가 다급하게 고개를 내저었다.

"아니요. 전 아주 좋죠. 그래서 말인데, 오늘도 스무 개쯤 사갈까 합니다."

"보고 결정하셔도 안 늦을 텐데요."

나는 방에서 인형을 한가득 가지고 나왔다. 인형을 본 남자의 얼굴이 밝아졌다.

"이전보다 더 섬세해졌네요."

그가 인형을 살펴보고는 말했다. 남자는 이어 인형 옷을 만져보고 감탄했다.

"그리고 이 천 재질도 너무 좋은데요."

"예, 뭐……. 저희 집에 할 줄 아는 건 별로 없는데 눈은 높으신 분이 계셔서……."

인형을 만들 재료를 살 때마다 환은 나를 따라와서 천을 고르는 걸 도와주었다. 그는 그 일에 이상할 정도로 열의를 보였는데, 넌지시 물어보니 나를 어떻게든 돕고 싶어서라고 했다.

내가 밤에 혼자 인형을 만들고 있노라면 환은 다가와 그 모습을 신기하게 구경했다. 더 손재주가 좋은 사람도 널렸는데, 내가 무슨 대단한 것이라도 되는 양 칭찬을 해대니 열심히 안 할 수가 없었다.

처음에는 이목구비만 뚜렷하게 만들고 적당히 태가 나는 옷을 입히자는 생각으로 만들던 것이 점차 세세해지기 시작했다. 인형들은 모두 환과 나를 본뜬 것이었지만 담긴 이야기는 조금씩 달랐다.

"조금 더 웃는 게 좋지 않을까?"

환이 뚱한 표정의 인형을 보고 물었다.

"그럴 수가 없습니다. 섬에서 처음 뵀을 때 나리는 늘 이렇게 심드렁하셨거든요."

"내가?"

무슨 남의 일 말하듯 한다.

"아, 그럼 인형마다 제각기 사연이 있는 거구나."

"뭐, 그렇게 대단한 것은 아니고 어떤 모습인지 구체적으로 상상을 해야 하니 그렇습니다."

"아냐. 그렇게 보니 정말 하나하나 다르게 보이는데."

멋대로 감동해버리니 막을 도리가 없었다.

그때부터 환은 인형마다 얽힌 이야기를 심심찮게 물어봤다. 덕분에 나도 점점 열심히 생각할 수밖에 없었다. 어떤 인형은 바닷가에서 파도를 맞던 우리였고, 또 어떤 인형은 한성에 올라오던 배 안에서 달을 바라보던 날의 우리였다. 그렇게 인형마다 하나하나 이야기를 붙이다 보니 수십 개가 금방 쌓였다.

"전부 가져가죠. 다음에는 봄에 오겠습니다."

남자는 인형을 챙겨 넣은 후 대금을 건넸다.

"이런 게 팔립니까?"

"당연하죠. 귀엽다고 아주 인기가 있는데요."

그때 아주머니가 곶감을 내어왔다. 그에게 먼저 하나를 들라 권했다.

"어디에 갔다 오셨습니까?"

내가 물었다.

"음, 이번에는 북쪽을 주로 돌았습니다. 겨울이 되면 영 가기 힘든 동네도 있어서, 너무 추워지기 전에 다녀오려는 생각이었지요."

"뭐 재밌는 이야깃거리 없었습니까?"

"재밌는 이야기요? 셀 수 없이 많았지요."

남자는 장사치다운 입담을 자랑하며 북쪽 지방의 가을 이야기를 전했다. 어느 마을에서 땅을 파다 금을 발견했다거나, 남편이 셋인 여자가 있다거나, 사람 머리만 한 버섯을 재배하는 밭이 있는데, 이 버섯을 먹으면 그렇게 기분이 좋아진다거나 하는 하나같이 믿기 힘든 소리였다.

"아, 또 서북 지방에 들렀다가 그 동네에서 묘한 얘기를 들었는데 말입니다."

지금까지 이야기도 충분히 기묘했는데 또 무슨 소리를 하려나 싶어 귀를 쫑긋했다.

"거기 큰 죄를 짓고 귀양 온 높은 사람이 있다는데, 그 귀양살이가 보통 귀양살이가 아니라더군요."

봇짐장수가 목소리를 낮춰 말했다.

"그건 무슨 소립니까? 보통이 아니라니?"

"그 사람의 유배지가 관아에서 그리 멀지 않은 곳이라던데, 관아를 제 집처럼 자유롭게 드나들고, 밤마다 음악과 술이 끊이지 않는다고 하더군요."

"그런 일이 있을 수가 있습니까?"

나도 모르게 인상을 구겼다.

"그러니 별나다는 거지요. 높으신 양반들 유배 갈 때 몰래 뒷돈 챙겨 떠나는 거야 하루 이틀 일도 아닙니다만, 그 동네 전체를 매수할 정도면 가진 돈이 어마어마했나 봅니다."

"그러게요."

모르긴 몰라도 나라님이 또 바뀌면서 귀양 간 양반이 많을 것 같긴 했다. 개중에는 부자도 있을 테고. 그렇다 쳐도 그 많은 돈을 어찌 챙겨 갔을까. 누구와 달리 수완도 좋다.

"그나저나 한성에서는 별 소식 없었습니까?"

이번에는 남자가 나에게 물었다.

"소식이라 해도 제가 뭐 그렇게 아는 게 없어서……."

"에이, 이런 동네에 사는 분들이야 저쪽 큰 기와집 사정에 밝지 않습니까?"

봇짐장수는 너스레를 떨며 왕궁 쪽을 가리켰다. 나는 잠시 고민하다 고개를 저었다.

"글쎄요, 딱히 들리는 소문은 없었습니다."

"그래요? 서북에 군사들이 삼엄하기에 무슨 전쟁 준비라도 하나 했습니다."

"전쟁이라니요?"

"에이, 큰소리 내진 마시고."

남자가 슬며시 자신의 입술에 검지를 댔다.

"그냥 말이 그렇다는 겁니다. 괜한 소리 했다가 유언비어를 퍼트렸다고 잡혀가고 싶지는 않으니 이건 못 들은 거로 해주십시오. 그만큼 살벌하기에 무슨 일이라도 났나 했지요. 그런데 마님이 모르시는 걸 보니 별일 아닌가 봅니다. 정말 큰일이면 한성이 조용할 리 있겠습니까?"

봇짐장수는 그렇게 이야기를 얼버무렸다.

남자가 돌아간 후 나는 곧장 일어서지 않고 잠시 마루에 앉아 있었다. 남자는 별일 아닐 거라고 했지만 영 기분이 찝찝했다. 내가 집 마당에 앉아 고민한다고 풀릴 문제가 아닌 것은 알았지만,

그렇다고 마냥 흘려들을 수도 없었던 것이다.

그때 어깨에 미지근한 것이 닿았다. 환의 손이었다.

"손님이 왔다더니."

그의 옷자락에는 눈이 잔뜩 묻어 있었다. 나는 옷자락을 탁탁 털어주었다. 마루에 눈송이들이 내려앉았다.

"아, 지난번에 말씀드렸던 그 보부상이 오늘 다녀갔습니다."

"그런데?"

환은 내 얼굴을 이리저리 살폈다.

"즐겁게 이야기하는 것 같았는데, 표정이 썩 좋지 않구나."

"재밌는 이야기를 많이 듣긴 했습니다. 인형도 많이 팔았고요."

"그래?"

"네. 스무 개 팔았습니다. 그런데 참 이상하지요. 그깟 천 조각 엮은 것 팔았는데 마음이 허합니다."

그것도 정을 들인 거라 그런지 손을 떠나자 영 허전했다. 내내 옷장에 쌓아두고 치워버릴 날만 기다렸는데도 말이다. 환은 웃으며 내 옆에 앉았다. 겨울 햇살이 그의 얼굴을 환히 비추었다. 그 얼굴을 보자 허했던 마음이 대번에 씻겨 내려갔다. 섭섭할 것 없었다. 내가 아무리 애를 써도 따라 만들 수 없는 얼굴이 눈앞에 있는 것이다.

"아, 그것보다 보부상에게 이상한 이야기를 들었습니다."

"무슨 이야기?"

"혹시 요사이 전쟁이 난단 이야기가 있습니까?"

"전쟁?"

환은 무슨 소리냐는 듯 반문했다. 그 반응을 보자 한결 마음이 놓였다.

"나리께서도 모르시는 걸 보면 역시 별일 아닌 모양입니다."

"무슨 이야기를 들었길래?"

"아, 아까 온 보부상이 서북의 분위기가 전쟁이라도 날 것처럼 살벌했다 해서 혹시나 했지요."

"특별히 들리는 것은 없었는데……."

조정을 드나들진 않았지만, 환은 안유군이 신임하는 형제였다. 달에 서너 번은 궁으로 불려가곤 했다. 그럴 때마다 환은 자신이 입궐하는 것 자체가 좋지 않은 일이라고 인상을 찌푸리곤 했다. 그래도 그 부름을 거절한 적은 없었다. 막상 가서 하는 일이라곤 활쏘기나 장기 정도라고 했지만.

어쨌거나 조정에 큰일이 생겼다면, 환의 귀에는 들어왔을 것이란 의미였다.

"그 외에 다른 말은 없었니?"

"예, 딱히……. 아, 서북에 귀양 간 사람 중에 유별난 사람이 있는 모양입니다."

"어떻게 유별난데?"

환이 물었다. 나는 보부상에게 들은 대로 그에게 전해주었다.

이야기를 다 들은 환의 표정은 그 어느 때보다 심각했다.

하긴 환은 유배지에서 그 고생을 했는데 누가 팔자 폈다는 이야기를 들으면 속이 퍽 상할 만도 했다.

"서북에 정배된 사람이라……."

그가 무겁게 입을 열었다.

"아시는 분이라도 됩니까?"

"잘 알지."

환은 자리를 털고 일어났다.

"아무래도 지금 궐에 다녀와야겠다."

그는 금방이라도 출발할 듯하더니 이내 머뭇거렸다.

"아니지, 주상에게 바로 고하기엔 너무 증거가 미약한데……."

"누구기에 그렇게 심각하십니까?"

"네가 그자를 기억할지 모르겠구나. 반정 당시 좌상이었던 자 말이다. 누군지 기억나니?"

"그 노인네를 어떻게 잊겠습니까?"

좌상이라면 국문장에서 이안군을 침하라 핏대 세우던 자였다. 분명 왕이 바뀌면서 그도 목숨을 부지하지 못했을 것으로 생각했던 터라 좀 놀랐다.

"설마 살려두셨습니까?"

"그러게 말이다. 난리 통에 없애버렸어야 했는데……."

환이 중얼거렸다.

"지금 왕후가 좌상의 딸이니 그 끈을 잡고 어떻게든 빠져나간 거지."

"예?"

너무 놀라 나도 모르게 큰소리로 되물었다. 그 탐욕스러운 노인네와 다소곳한 왕비는 도저히 닮은 구석이 없었다.

"너무 안 닮았던데요?"

"그건 그렇지. 아무튼 너도 알고 있겠지만……. 내 모친은 외조부가 죽은 후로 병이 생겼지. 그런 전례가 있다 보니 더욱 쉽사리 손대지 못하는 거다."

"전하는 왜 하필 그 사람의 딸과 혼인한 겁니까?"

좌상이라면 몸서리치도록 싫어하는 안유군이 선뜻 그런 선택을 한 것이 이해가 되지 않았다.

"하고 싶어서 한 건 아니지."

환이 냉소적으로 말했다. 환은 종종 후백에 있던 시절에 대해 지나가듯 이야기했다. 길고, 춥고, 외로운 세월이었다고 했다. 미처 한성의 이야기는 묻지도 듣지도 못했지만, 내가 모르는 일들이 많이 일어났음은 분명했다. 내가 섬에서 지내는 동안 후백과 한성에서도 열심히 계절이 지나고 있었던 것이다.

그나저나 그렇게 참한 처자가 어쩌다 안유군에게 잡혔나 했더니 사연이 있긴 있었던 모양이었다. 내내 품고 있던 의문이 살짝 풀렸다.

"그래서 지금은 어떻게 할 수 없는 겁니까?"

"쉽지 않지. 일단 유배로 형을 받는 중이고, 수령이 올리는 보고에도 별 이상은 없다 들었고."

"수령도 매수했을지도 모르지요. 전하께 말하면 안 되는 겁니까?"

노인네가 죗값을 치르기는커녕 호의호식하고 있다고 생각하니 배알이 뒤틀렸다.

"그게 그렇게 간단하지가 않아. 국왕에게는 하루에도 수십, 수백의 상소가 올라오지. 그런데 출처가 불명확한 소문을 공식적인 보고보다 우선시할 수 있겠니?"

"……힘들 것 같습니다."

"만약 사실과 다르다는 게 밝혀지면 우리도 곤란해질 테고. 조정의 분위기도 또 엉망이 되겠지."

그러더니 환은 짐짓 미소를 보였다.

"그렇게 시무룩한 얼굴 하지 말고. 방법이 없는 건 아니니까."

"무슨 방법 말입니까?"

"내가 서북에 가서 그자의 동태를 확인해보면 되지."

환은 마치 옆 동네 마실을 다녀오는 사람처럼 가볍게 말했다.

"예?"

"오가는 것까지 생각하면 한 보름이면 충분하겠구나. 정말 이상이 있다는 걸 확인하면 그때 바로 보고를 하면 되겠지."

나는 선뜻 그러라 말하지 못했다. 불길한 예감이 들었다. 마치 환이 후백으로 떠나던 때처럼……. 기우라는 것을 알면서도 속이 울렁이는 것은 어쩔 수가 없었다.

또 그런 일이 생긴다면 절대 혼자 보내지 않으리라 다짐했었다.

"그럼 저도 같이 가지요."

"너도?"

환은 잠깐 망설이다 흔쾌히 고개를 끄덕였다.

"그래, 별로 위험한 길은 아닐 테니 그것도 괜찮겠구나. 오랜만에 여행 가는 것 같기도 할 테고. 게다가 너랑 여행을 갔다고 하면 누구도 별다른 의도가 있다고 의심하지 않겠지."

"재밌을 것 같은데요."

모처럼 먼 여행이라 설렜다. 한성에 도착한 후로 좀처럼 도성 밖을 나갈 기회가 없었던 것이다.

"놀러 가는 건 아닌데."

환이 내 속을 읽기라도 한 듯 말했다.

"뭐, 놀러 가는 거라 생각해도 상관없겠지."

그가 웃으며 덧붙였다.

보름 정도 집을 비울 거라 했더니 아주머니는 그렇게 멀리 가느냐고 호들갑이었다. 섬에서 한성까지 오는 길에 비하면 보름은 일도 아닌 터라, 뭐 그리 난리인지 몰랐다.

난리가 난 것은 아주머니뿐이 아니었다. 열다섯 밤을 떠나있을 거라 했더니 신이는 난데없이 눈물을 뚝뚝 떨어트렸다. 신이는 다른 식구도 잘 따랐던 터라 이런 반응을 보일 줄은 예상치 못했다. 그렇다고 그 추운 겨울에 아이를 데리고 이동할 수도 없는 노릇이었다. 결국 신이가 잠이 들 때까지 달래주었다. 아이는 뭐가 그렇게 화가 났는지 끝내 내게서 등을 돌리고 곯아떨어졌다. 품에는 손때가 탄 인형이 안겨 있었다.

이른 새벽 행장을 꾸려 한성을 떠났다. 급할 때 쓰기 위해 받아둔 마패가 있어, 역에서 쉽게 말을 한 필 빌렸다. 이대로 달리면 대엿새 후에는 서북 지방에 발을 들일 것이었다.

언젠가 안유군이 자랑했던 대로 환은 말을 잘 몰았다. 북으로 갈수록 눈이 높게 쌓여가는데도, 말은 미끄러지지 않고 부드럽게 달렸다. 모처럼 환과 단둘인 시간이라 도란도란 담소라도 나누고 싶었지만 무리였다. 주마간산走馬看山이라는 말답게 말은 너무 빠르게 달렸고 날씨는 너무 추웠다. 달리는 내내 나는 입과 코를 목도리로 꽁꽁 싸매야 했다.

점심 무렵 잠시 말을 멈추고 가져온 도시락을 풀었다. 어제 남은 밥들을 뭉쳐 대강 만든 주먹밥이었다. 밥은 이미 차디차게 식었지만 추운 곳에서 먹는 것이라 그런지 굉장히 맛있게 느껴졌다.

앙상한 가지 사이로 검은 새가 날았다. 바람이 심한 날이었다. 바람에 가지가 바들바들 떨 때마다, 가지 위에 앉았던 눈이 한 움큼씩 떨어지기도 했다. 온 산이 희게 덮였으니 저 산의 정상에서 내려다보면 분명 장관이리란 확신이 들었지만, 차마 이 눈길을 등반할 엄두는 나지 않았다.

"산세가 좋습니다."

주변을 쭉 둘러본 후 말했다.

"서북까지 가는 길엔 이런 산이 많다더구나."

그가 말했다. 이번 여행은 환도 나도 초행길이었다. 우리가 의지할 것은 환이 가져온 두꺼운 지도책뿐이었다. 대체 언제 적 책인지 지도책 위에는 책만큼이나 두꺼운 먼지가 소복하게 앉아 있었다. 조금 더 여유로운 일정이었다면 책방에서 새 지도를 구했겠지만 그럴 시간이 없어 그냥 이것을 챙겨왔다. 다행히도 산천의 모양이 바뀌지는 않은지라, 아직까진 길을 잘 찾고 있었다.

"겨울인 것이 좀 아쉽지. 봄이나 가을이면 더 볼 게 많았을 텐데."

"겨울 산은 겨울만의 느낌이 있는데요."

굳이 따지자면 나는 겨울 산이 가장 좋았다. 겨울 산은 꾸밈이 없다. 겨울에도 아름다운 산이라면 필시 사계가 모두 아름다울 것이라 믿는다.

점심을 해결하고 다시 말을 달렸다. 지독한 추위에 뺨이 어는 것 같았다. 그가 떨리는 내 몸을 감싸듯 안았다.

마을에 도착했을 때는 해가 진 뒤였다. 겨울이라 해가 빨리 저물었다. 지도 위에는 분명 작은 마을로 표시되어 있었는데, 막상 오니 꽤나 번화한 곳이었다. 동네 사람에게 물어보니 몇 년 사이에 후백과 물류가 오가며 장사치들과 금전이 몰려들었다 했다. 덕분에 밤을 지낼 곳도 힘들지 않게 구할 수 있었다.

따뜻한 바닥에 누워 지도책을 뒤적였다. 점과 선으로 이루어진 먹물 자국들 안에 수많은 사람이 살고 있었다는 것이 신기했다. 또 어떤 곳들을 지날까 상상하며 책장을 넘기다 잠이 들었다.

그 후 사흘은 비슷한 일정의 반복이었다. 아침이면 마을에서 간단한 요깃거리를 챙겨 종일을 달렸다. 지도상으로 우리는 착실하게 서북을 향해 가고 있는데, 보이는 것은 산과 산뿐이라 전혀 실감이 나질 않았다.

"아무리 생각해도 나리 이름은 제가 잘못 붙여드린 것 같습니다."

점심을 먹기 위해 잠시 멈췄을 때 말했다. 발밑으로 시냇물이 꽁꽁 얼어 있었다.

"왜?"

"제가 아는 산은 섬 한가운데 홀로 솟은 산이었는데 여기는 산들이 다 서로 어깨를 맞대고 있지 않습니까? 산이라는 게 이렇게 서로 부대끼는 것인지는 미처 몰랐습니다. 그러니 뭔가 이름을 잘못 지어드린 기분이 들지 않겠습니까?"

"그래서 더 잘 지은 이름 같지 않니?"

환이 말했다.

나는 그를 다시 보았다. 처음 그의 눈동자를 보았을 때는 그 눈에 막막한 고독이 고여 있다고 생각했다. 그런데 지금은 외로움을 다 길어낸 검은 눈동자에 다만 내 모습이 작게 비치고 있었다.

저 자리가 오래오래 내 자리였으면 했다.

산이 산맥을 비집고 들 듯, 그의 마음속에 자리잡고 언제까지나 거기 머물고 싶었다.

"왜?"

환은 내 시선이 이상한 듯 입꼬리를 올렸다.

"뭘 해도 잘했다고만 하시니 믿음이 안 갑니다."

나는 퉁명스럽게 대꾸하고 얼어붙은 시냇물을 발끝으로 툭툭 쳤다. 방금 한 생각을 들킬까 싶어 목덜미가 화끈거렸다. 환은 뭐가 재밌는지 내 말에 혼자 웃더니, 다행히 더 그 이야기를 잇지는 않았다. 우리는 물이 다 얼어붙으면 물고기들은 어디서 살지 토론하며 식사를 마쳤다.

닷새째 되던 날은 점심 무렵부터 눈이 쏟아지기 시작했다. 아직 산을 다 넘지 못했던 때였다. 눈은 순식간에 쌓여갔다. 말의 속도도 차츰 느려졌다.

"반나절 정도만 더 가면 서북인데……."

환이 안타까운 듯 중얼거렸다. 본래라면 오늘 저녁에는 목적지에 도착할 예정이었다.

눈은 우리의 사정을 봐주지 않고 퍼부었다. 새하얀 눈송이들 때문에 앞이 보이지 않을 지경이었다. 결국 한 식경도 지나지 않아, 오늘 내로 목적지까지 갈 수 없으리란 사실을 인정할 수밖에 없었다. 환은 잠시 말을 멈추고 급히 지도책을 뒤졌다.

다행히도 산 중턱에 작은 마을이 있는 모양이었다. 우리는 방향을 틀어 그 마을로 향했다. 그리 먼 거리가 아니었지만, 폭설 때문에 평소보다 서너 배 시간이 걸렸다.

마침내 마을 입구를 표시하는 큰 깃대가 보였다. 깃대 끝이 부러져 있었다.

"느낌이 안 좋은데요."

"좀 오싹하지?"

환은 내 말에 동의하면서도 일단 마을로 들어갔다.

아니나 다를까, 눈앞에 펼쳐진 마을의 모습은 우리가 상상하던 것과는 매우 달랐다.

"지도에는 마을로 표시되어 있었는데……."

환이 주변을 둘러보며 중얼거렸다. 그곳은 화전민들이 버려두고 간 마을이었다. 아니, 이미 마을이라기보다는 폐허라는 이름이 걸맞았다. 언제 떠난 것인지는 몰라도 집들 대부분이 허물어진 채였다. 저 집들이 이 폭설을 견딜 수 있을지 의심스러울 정도였다.

"다른 곳으로 가기는 힘들겠지요?"

"아무래도 지금은 힘들지."

환과 나는 말에서 내려 천천히 마을을 돌아보았다. 눈보라를 뒤집어쓴 탓에 점점 오한이 들었다.

마을 구석에 그나마 모양새를 제대로 갖춘 집 한 채가 있었다. 두 칸밖에 되지 않았지만, 집 자체는 튼튼했다. 기둥이 무너진 곳도 없었고 지붕과 벽도 온전했다. 혹시나 해서 창과 문도 여닫아 보았는데 찬 기운이 살짝 스며들긴 해도 눈이 들이치지는 않았다.

"오늘은 일단 여기서 머무는 게 낫겠다."

환이 말했다. 나는 크게 고개를 끄덕였다. 턱이 덜덜 떨렸다.

문제는 이 집이 폐가가 된 지 너무 오래되어, 방과 부엌이 거미줄과 먼지의 소굴이라는 점이었다. 다행히 서랍장 안을 뒤져보니 깨끗한 천 몇 장이 있었다.

내가 집안을 뒤지는 사이 환은 장작을 주워오고 부엌을 정리했다. 나는 아궁이 안을 대강 긁어내고 장작을 넣어 불을 피웠다. 그 사이 환은 솥을 깨끗이 닦고 그 안에 눈을 담아 녹였다.

천에 물을 적셔 대강 쓸고 닦으니 영 못 미덥긴 해도 하룻밤은 지낼 정도는 되었다. 평화롭게 제 세상을 누리던 거미에게는 미안하게 되었다. 좀 너무한가 싶어 저 천장 구석의 거미줄은 내버려뒀다.

청소를 마친 후 찬장과 서랍장을 뒤졌다. 당연하게도 먹을 것은 없었다. 오늘 아침 마을에서 간식거리를 여럿 챙겨오길 잘했단 생각이 들었다. 방바닥이 따뜻해지길 기다리며 아궁이 앞에 앉아 육포를 구웠다. 매캐한 연기에 환이 작게 기침을 했다.

"눈이 그쳐야 할 텐데요."

"오늘 밤은 그럴 것 같지가 않구나."

환의 말대로였다. 눈은 이대로 겨울이 끝날 때까지 계속 내릴 것만 같았다.

버려진 화로에 불을 붙였다. 등불이 없어 빙 한군데 화로를 넣고 그 일렁이는 빛에 모든 시야를 의존해야 했다. 우리는 화로 옆에 앉아 햇사과와 육포로 저녁을 때웠다. 잘 익은 사과의 과즙이 환의 입술을 적셨다.

미약한 빛이 그의 얼굴 위로 어른거렸다. 눈발은 아까보다 약해졌다. 지붕과 벽을 요란히 때리던 소리가 잦아들었다. 고요 속에서 가만히 귀를 기울이면 눈이 쌓이는 귀 간지러운 소리를 들을 수 있었다.

"이런 날씨에 범이 나타나진 않겠지요?"

내가 작게 속삭였다. 너무 깊은 산속이라 덜컥 겁이 난 것이었다.

"활과 검도 챙겨왔는데 뭐가 걱정이니? 나타나도 상대하면 되지."

태연한 대답에 기가 찼다.

"예? 누가 뭘 상대한다고요?"

"누누이 말했잖니. 세자 시절에 호신 정도는 배웠다고."

"호신 정도로는 범을 못 잡습니다."

내 바른말이 퍽 아니꼬웠는지 환은 살짝 입술을 비죽였다.

"넌 나를 너무 못 믿는구나."

"누구나 나리의 고운 손을 보면 그렇게 생각할 텐데요."

"놀리지 말고."

"제가 어떻게 감히 누구를 놀리겠습니까?"

이렇게까지 말했는데도 환은 여전히 시큰둥한 얼굴이었다. 웃으며 그의 뺨을 쓰다듬었다. 언 뺨은 아직 얼음처럼 차가웠다. 손바닥의 미열에 뺨의 냉기가 걷혀가며 그의 표정도 스르르 풀렸다. 환이 뒤편에서 나를 안았다. 서로의 옷이 부대끼는 소리가 번잡했다. 아직 방이 완전히 달궈지지 않아 겨울옷을 입은 채였다. 두꺼운 옷감 너머로 서로의 열기가 희미하게 전해졌다.

그의 손이 조심스럽게 옷 안을 파고들었다. 손바닥의 온기가 얼어붙은 피부를 기분 좋게 데웠다.

화로의 열기 때문인지, 부드러운 자극 때문인지 몸이 차츰 나른하게 녹아갔다.

눈을 감았다.

눈 오는 소리가 아득했다.

다행히도 눈은 새벽에 그쳤다. 눈은 동녘이 틀 때부터 조금씩 녹기 시작해서, 오후에는 다시 말을 달릴 수 있을 수준이 되었다. 예정보다 하루 정도 늦어지긴 했지만 일몰 전 목적지에 무사히 도착할 수 있었다.

좌상이 유배를 왔다는 마을은 견고한 성벽에 둘러싸인 곳이었다. 과거에 종종 외부의 침략이 있던 곳이라 이렇게 산성을 쌓았노라고 환이 설명했다. 석양에 물든 돌벽은 꽤나 예뻤지만, 그런 사연을 알고 나니 순수하게 감탄하기 어려웠다.

우리는 말에서 내려 천천히 시장통을 걸었다.

"일단 이상해 보이는 것은 없는데요."

나는 주변을 둘러본 후 말했다. 아무리 살펴봐도 평화로운 마을이었다. 멀리 노을이 진 초가지붕에서 저녁 짓는 연기가 올라오는 모습은 바라보기만 해도 마음이 평온해졌다.

"아직은 모를 일이지."

환은 아까부터 긴장한 듯 주위를 경계하고 있었다.

"나리. 그렇게 다니시면 누가 보아도 수상해보일 겁니다."

보다 못한 내가 충고하자, 그는 그제야 인상을 폈다.

"우선 그자가 정배된 곳을 밤에 살짝 들러봐야겠다. 괜히 낮에 가서 얼굴 마주칠 것 없으니 말이다."

"그럼 오늘 밤에 가실 겁니까?"

내 질문에 환은 고개를 가로저었다.

"이곳 지리도 낯선데 밤에 섣불리 움직이는 건 오히려 좋지 않을 거다."

"그럼 내일 낮에 길을 좀 익혀둔 후 가면 되겠군요."

"그래. 분위기도 더 확인해야 할 테고."

우선은 밤을 날 곳이 필요했기에 시장통 끝머리에 있는 주막에 짐을 풀었다. 저녁 식사를 마치고 들어오자 방바닥은 따끈하게 달궈져 있었다. 좁은 방이었지만 무척 아늑해서 누워 있으면 꼼짝도 하기 싫을 정도였다.

결국 씻고 이야기를 몇 마디 나누다 둘 다 잠에 들었다. 그동안의 강행군이 둘 다 퍽 피곤했던 것이다.

희미한 신음에 이른 새벽 눈을 떴다. 아직 여명이 들기 전이었다. 환은 무언가 악몽이라도 꾸는지 눈을 감은 채 괴로워했다. 손을 뻗어 확인하니, 이마가 식은땀에 젖어 있었다.

"산."

그의 어깨를 흔들었다.

이런 일이 처음은 아니었다. 후백에서 돌아온 후 환은 종종 악몽에 시달렸다. 비몽사몽간에 눈을 뜨면 그는 가위에라도 눌린 듯 앓는 소리를 내고 있었다. 그때마다 나는 그를 깨워 무슨 일인지 물었다.

"산."

두 번 그를 부르자 환이 눈을 떴다. 그는 한참이나 이것이 현실이라는 것을 확인하듯 내 뺨을 어루만졌다.

"아니야, 아무것도……."

그가 가라앉은 목소리로 답했다. 매번 이럴 때마다 그는 아무것도 아니라는 말만 했다. 내가 무슨 꿈인지 물어도 웃음으로 얼버무리는 게 끝이었다.

환이 나를 아플 정도로 꽉 끌어안았다. 다행이다, 들릴 듯 말 듯한 혼잣말이 귓가에 닿았다.

"요즘은 좀처럼 악몽을 꾸는 일이 없으시더니."

"너무 긴장했나 보다."

"별일 없을 겁니다."

나는 그의 등을 가만히 토닥였다. 멀리서 드문드문 밤새의 울음소리가 들렸다. 울려면 아주 지지배배 지저귈 것이지, 한 번 울었다가 잠이 들 법하면 또 한 번 우는 게 아주 악질인 새였다.

"이런 겨울에도 새가 우네요."

"그러게 말이다. 한성에서는 못 듣던 울음인데."

"예, 들을수록 참 특이합니다. 섬에서도 저렇게 우는 새는 없었는데요."

"서북에만 사는 새인가?"

환도 이상한 듯 중얼거렸다. 나보다 훨씬 박식한 환이지만, 새에 관해서는 잘 모르는 모양이었다.

"소리가 꼭 호루라기 같은데요."

"듣고 보니 꼭……."

환은 갑자기 벌떡 몸을 일으키더니 창을 열었다. 찬바람이 훅 안으로 들이닥쳤다. 나는 이불을 덮어쓰고 창가로 갔다.

새가 또 한 번 울었다.

아까보다 새 울음을 더 또렷이 들을 수 있었다. 바람을 타고 온 그 소리는 정말로 호루라기 소리 같았다.

아니……. 호루라기 소리였다.

"새소리가 아니야."

환도 나와 같은 것을 깨달은 모양이었다. 찬바람 때문인지 기이한 소리 때문인지 팔뚝에 닭살이 돋았다.

"이 새벽에 무슨 일일까요?"

"도대체가……."

"나리. 잠깐만."

나는 그의 말을 끊고 밖에 귀를 기울였다. 아주 미세하게, 또 다른 소리가 들려왔다.

"또 이상한 소리, 들리지 않으십니까?"

"무슨……?"

환은 내 말을 듣고 창밖으로 몸을 내밀었다. 나도 내가 들은 것이 헛것이 아님을 확인하기 위해 눈을 감고 귀를 기울였다.

분명히 들렸다.

아주 멀고, 작지만, 발자국 소리였다.

많은 사람들이 움직이는 소리. 오일장이 열리던 새벽, 상인들이 우르르 오갈 때 저것과 비슷한 소리가 났다.

"마치 대열이 움직이는 소리 같지……?"

환이 자신 없는 투로 물었다. 소리가 너무 멀어서 나 역시 확신할 수는 없었다. 하지만 상인들이 오가던 그 번잡한 소리보다 훨씬 질서정연하게 들린다는 것은 사실이었다.

"오일장이라도 서는 걸까요?"

"그럼 호루라기는 왜?"

"그건……. 좀 이상하기는 합니다."

서북에는 상인들이 호루라기라도 들고 다니나 생각하던 차였다.

챙, 하는 소리가 귓전에 울렸다.

두 사람 다 밖의 소리에 귀를 기울이고 있었기에 똑똑히 들었다.

금속이 부딪치는 소리였다.

순간 등줄기를 타고 소름이 올라왔다.

"나리……."

"가만."

환은 입술에 검지를 댔다. 우리는 숨소리를 낮추고 창밖에 몸을 들이밀고 있었다. 오가는 바람은 보통 냉랭한 것이 아니었다. 이러다간 감기가 들 것 같아 그의 어깨에도 이불을 나누어 덮어주었다.

"그런데 지금 소꿉놀이 하는 것 같지 않습니까?"

"응?"

"이렇게 나란히 이불을 뒤집어쓰고 있으니까요."

"아, 난 소꿉놀이를 해본 적이 없어서……."

환이 우물쭈물 대꾸했다.

"이런 거라면 나쁘지 않은 것 같구나."

이불 속에서 그가 내 손을 가볍게 쥐었다.

우리는 가끔 몇 마디 농담을 나누며 한참을 기다렸다. 그러나

늦은 여명이 터올 때까지 더는 들리는 것이 없었다.

환은 이내 포기하고 창을 닫았다. 찬바람을 너무 쐬어서인지 그의 얼굴이 창백했다. 입술도 핏기 없이 희었다. 그의 양 뺨을 감싸쥐고 입술을 붙였다. 서로의 체온에 조금씩 입술이 미지근히 녹아갔다.

아침 식사를 마치고 곧바로 거리로 나섰다. 환은 무언가 불안한지 호신용 검을 챙겼다.

동짓날인 탓에 낮이 짧아 움직일 시간이 그리 길지 않았다. 길을 오가는 행인에게 수소문해 관아의 위치를 물었다.

주막이 있는 시장통에서 관아까지는 걸어서 두 식경 정도는 거리가 있었다.

"밤에는 말을 타고 오는 편이 낫겠다."

환이 말했다.

좌상이 유배당한 곳은 이 고을의 관아 근처라고 했다. 다행히 관아는 언덕에 우뚝 서 있었기에 찾기 어렵지 않았다. 관아를 조금 지나 대나무 숲을 걷다 보니 허름한 초가 한 채가 나왔다. 허술한 건물에 비해 담은 높아 이곳이 바로 그곳이리라는 짐작을 하게 했다. 환과 나는 멀찍이서 그 초가를 지켜보다 발을 돌렸다.

환은 곧장 마을로 돌아가지 않고 잠깐 대나무 숲도 훑어보았다. 숲속 공터에는 활쏘기라도 한 것인지 과녁이 설치되어 있었다.

"유배된 양반이 이렇게 활이나 쏘며 놀아도 되는 겁니까?"

내가 아무래도 이상해서 물었다.

"뭐, 이 정도 여흥이야 안 될 것은 없지. 정해진 구역을 벗어나지만 않는다면 말이다."

"저희 섬에 유배온 나리들은 그런 경우가 없었는데요."

"거기까지 갈 정도면 중죄인이니 그렇다고 봐야지. 게다가 죄인이라고는 하나, 왕후의 아비 아니냐? 다른 죄인들보다 편의를 봐주는 것도 있을 테고……."

환은 손으로 과녁에 남은 화살 자국들을 매만졌다.

"그럼 사실 보부상이 전해준 이야기도 문제가 안 되는 겁니까?"

"그렇지는 않지. 그런데 나는 그자가 어떤 유흥을 즐기는지보다는 무슨 생각을 하는지가 궁금해서 말이다."

환의 손가락이 과녁 정중앙에 난 화살 자국을 스쳤다.

유배지 근처를 샅샅이 둘러보고 다시 시장통으로 돌아왔을 때는 정오 무렵이었다. 동지라 그런지 여기저기서 팥죽을 쑤어 팔고 있었다.

"대낮에는 꽤 북적이네요."

나는 어제보다 훨씬 활기차 보이는 거리를 둘러보았다.

"점심은 어떻게 할까?"

"여기 식당에 사람이 많아 보이는데요."

나는 길가의 식당을 가리켰다. 유독 사람들이 자주 드나드는 식당이었다. 조잡한 입간판에는 닭고기를 고아서 끓인 국수를 파는 집이라는 소개가 적혀 있었다.

"나쁘지 않을 것 같은데."

환이 입간판을 보며 잠시 고민하던 차였다.

또 다른 가게는 없을까 살펴보던 내 눈에 낯설지 않은 얼굴이 들어왔다. 나는 어리둥절해서 눈을 비볐다.

그럴 리가.

저 얼굴이 여기 있으면 안 되었다.

보랏빛 옷을 입은 뒷모습이 저 멀리 인파 속으로 사라져갔다.

잘못 본 것일까?

다시 확인을 해야겠다는 생각에 냅다 뛰기 시작했다.

"인화야!"

뒤에서 당황한 환의 음성이 들렸지만 지금은 멈춰서 하나하나 설명해줄 시간이 없었다.

내가 본 것이 맞다면 그는…….

덕이였다.

옆얼굴만 슬쩍 보았지만 분명 비슷했다. 하지만 그놈은 어느 노역장에 끌려갔다고 들었다. 여기 있을 리가 없었다.

식사를 마친 한 무리의 사람들이 식당에서 우르르 몰려나왔다. 덕분에 보랏빛 옷을 입은 남자의 모습이 잠시 가리었다. 내가 두리번거리는데 뒤에서 누군가 내 팔을 확 잡았다.

화들짝 놀라 돌아보니 환이었다.

"인화야, 무슨 일이야?"

환이 급박하게 물었다.

"그게……. 아는 사람을 본 것 같습니다."

"아는 사람?"

"모르겠습니다. 확실하지가 않아서. 확인을 해야 하는데……."

나는 일단 그 남자가 간 방향으로 인파를 헤치고 뛰었다. 모퉁이를 돌아서는 남자의 옷자락이 보였다.

놓치면 안 된다.

죽을힘을 다해 뛰었다.

덕이 놈이 무서워서가 아니다.

좌상이 뭔가 꾸미는 게 아니라면 굳이 그런 비렁뱅이를 여기 부를 이유가 없으니 그렇다.

정말 놈인지 아닌지 그 상판대기를 확인해야 했다.

모퉁이를 돌아서자 보랏빛 옷을 입은 남자가 보였다.

"저기."

나는 달려가 남자의 옷깃을 잡아당겼다.

남자가 천천히 돌아섰다. 그는 나를 보자마자 성가시다는 듯 미간을 확 찌푸렸다.

"아, 안 사요. 안 산다고."

낯선 남자는 짜증을 내며 팔을 확 들었다. 옷깃이 손틈을 빠져나갔다.

"……죄송합니다. 사람을 잘못 보아서……."

"어휴, 별……."

남자는 오만상을 쓴 후 투덜거리며 제 갈 길을 갔다.

"누군데……?"

뒤따라온 환이 이상한 듯 물었다.

"모르는 사람이었네요. 덕이 놈을 보았다고 생각했는데……."

"누구?"

"덕이 놈 말입니다."

환은 내 말을 듣고 그놈 얼굴을 떠올려보려는 듯 미간을 좁혔다.

"전혀 다르게 생겼던데?"

"기분이 뒤숭숭해서 잘못 보았나 봅니다."

환과 나는 골목을 빠져나와 다시 식당으로 향했다.

"그나저나 덕이 그놈은 어디로 갔다 했습니까?"

가는 길에 아무래도 덕이가 신경 쓰여 환에게 물었다.

"노역장으로 보냈는데 햇수로 세어보면……."

환은 손가락을 몇 개 접더니 가볍게 눈살을 찌푸렸다.

"아마 지금쯤이면 끝나긴 했겠구나."

"그게 벌써 끝났습니까?"

"어쩔 수 없는 일이지. 벌은 죄만큼 받는 거니 말이다."

환도 안타까운 듯 혀를 찼다.

내가 덕이에게 가진 원한과는 별개로, 덕이의 죄라는 것은 꼭 놈의 존재처럼 하찮았던 모양이다. 좌상을 도와 환을 모함한 게 그가 한 일의 전부였다. 그 뒤로는 좌상도 덕이의 쓸모가 다했다 생각했는지 연통 하나 취하지 않았다고 들었다. 그 세월 동안 덕이가 한 일이라곤 거들먹거린 것이 다였던 것이다. 그러니 죗값을 최대한으로 물으려 해도 노역 몇 년이 전부였던 모양이었다. 물론 노역장에서 몇 년이 결코 호락호락한 벌은 아니었지만, 어찌 됐건 목숨을 앗을 정도는 아니었던 것이다.

"그러게 말입니다. 잘못도 변변찮아서는."

험한 욕이 튀어나오려는 걸 간신히 삼켰다.

우리는 좀 전에 봐두었던 식당으로 들어갔다. 식당은 이런저런 사람들로 붐볐다. 점원이 와서 주문을 받으며 살갑게 말을 붙였다.

"여기 분들이 아니신가 보네요."

"예. 여행 왔습니다."

내 대답에 점원이 고개를 갸웃했다.

"굳이 이렇게 추운 계절에 오셨네요?"

"여행객이 별로 없나 보죠?"

"겨울철에는 눈 때문에 길이 막히는 일이 많아 상인들도 발걸음이 뚝 떨어지곤 하죠. 마을 사람들은 눈에 갇혀 오도 가도 못하고 좀이 쑤시니 이렇게 시장에 나와 돌아다니고요."

점원이 말했다. 그녀는 지금 여기 있는 손님들도 대부분이 마을 주민들이라고도 덧붙였다.

곧 갓 지은 밥과 말린 산나물로 끓인 고깃국이 나왔다.

막 첫술을 뜰 무렵, 근처에서 낮술을 마시던 사내들이 떠들어대는 소리가 들렸다.

"……살판이 났지. 귀신은 그런 놈 안 잡아가고 뭐 하는지."

수염이 덥수룩한 사내가 투덜거렸다.

"나는 그 옆에 붙어 있는 그놈이 더 싫어. 어디서 굴러먹던 놈인지 거들먹거리기는……."

다른 사내가 말을 보탰다.

"하여간에 그런 거 보면 나라님도 영……."

무언가를 더 말하려던 사내가 내 시선을 눈치채고 말을 뚝 끊었다.

"그런 재수 없는 이야기는 그만하고 좀 재밌는 이야기라도 해봐."

사내는 슬쩍 목소리를 줄였다.

"아저씨들."

환이 말릴 새도 없이 나는 그들에게 말을 걸었다.

"응?"

"나라님이 영 별로지요? 저도 그렇게 생각해서 말입니다."

"아, 외지에서 온 거 같은데 말이 좀 통하는구먼."

내 무엄한 말에 사내들의 표정이 풀어졌다. 환이 살짝 내 소매를 잡아당겼다. 나는 그에게 기다려보라 속삭이고 계속 대화를 이었다.

"통하다마다요. 그분이 원체 뺀질뺀질한 사람이라 들었는데, 그런 성품들은 통 정이 안 가잖습니까."

"한성에서 온 건가?"

나는 고개를 끄덕였다.

"한성에는 그런 소문도 퍼져 있나 봐. 처음 듣는 이야긴데."

"그렇습니까? 전 그 성질머리 때문에 귀신이 잡아가라는 줄 알았습니다. 아니면 뭣 때문에 그러신 겁니까? 또 재밌는 소문이라도 있습니까? 말씀해주시면 저도 한성에서 주워들은 것을 풀고요."

술꾼들에게 높은 사람들의 뒷소문만큼 맛있는 안주는 없는 법이었다. 넌지시 미끼를 던져보았는데 뜻밖에도 사내는 질색하며 고개를 저었다.

"이거 큰일 날 사람이네. 귀신이 잡아가라니? 누가 나라님에 대해 그런 소리를 했댔나?"

"그러니까 말이야. 거참, 무슨 오해를 해도……."

"우리가 언제 그런 소리를 했다고 그래?"

사내들이 앞다투어 난리를 피웠다.

"뭐 어떻습니까? 듣지도 못하는데."

별 호들갑을 다 떤다 싶어 웃으며 대꾸했다.

"아니, 정말 다른 사람에 대한 이야기였으니 하는 말이야."

"누구 이야기였는데요?"

"그 있잖나. 아, 한성에서 왔으면 모를 수도 있지. 이 동네에 유배온 양반 하나가 있거든. 그 사람 이야기였어."

"아, 꽤나 높은 나리가 왔다지요?"

이야기가 점점 재밌는 쪽으로 흘러가는 듯해서 아예 그쪽으로 돌아앉았다.

"그래. 무려 왕비의 아비라나 뭐라나. 하여간 그 권세로 수령이 어찌나 굽실대는지. 무슨 왕 노릇을 하러 유배온 것 같다니까."

"죄인이면 뭐해. 주상의 장인이니 저렇게 떳떳한 거지."

좌상이 뻣뻣하게 나대는 것이 퍽이나 눈꼴셨던 모양이었다. 사내들이 그 노인네를 씹어대는 걸 흥미진진하게 들었다.

"뭐, 밤마다 술잔치라도 벌인답니까?"

보부상에게 들었던 말이 생각나서 넌지시 물었다.

"그건 잘 모르겠네. 밤에 그 근처로 굳이 가는 사람이 적어서……. 하여간에 그런 걸 보면 나라님도 별로야. 장인이라 봐주고 있는 게 아닌가 싶어."

조금 더 이야기를 나눴지만 더 이상 새로운 정보는 없었다. 이야기 들려줘서 고맙다고 하고 다시 바로 앉아 수저를 들었다. 생각보다 이야기가 길어진 탓에 밥과 국이 식었다. 환도 나를 기다린 모양이었다.

"먼저 드시지 그랬습니까?"

"나도 아까 이야기가 흥미로워서 들었지."

"그러게 말입니다. 그 노인네가 여기서 민심을 잃긴 잃은 모양입니다. 근데 그……. 그분이 장인이라 뒤를 봐주고 이럴 성격입니까?"

내가 아는 안유군은 그렇게 인정 넘치는 사람이 아니었다.

"뒤를 봐주는 것까진 아니더라도, 결과적으로는 그렇게 되어버렸을 수도 있지."

환이 씁쓸하게 대꾸했다. 그러더니 그는 곧 장난기 어린 미소로 물었다.

"인화야. 너 내 욕도 많이 했니?"

"예? 갑자기 뭐라시는 겁니까?"

"아니, 아까 들어보니 하루이틀 욕해본 솜씨가 아니라서 말이다. 예전엔 내 욕도 많이 했을까 싶어서."

"해드릴까요?"

"아니……."

환은 조용히 수저로 국을 저었다.

이후로 해가 지기 전까지는 밖을 돌아다니며 사람들에게 이런 저런 이야기를 들었다. 하나 같이 좌상을 싫어하는 걸 보면 그 노인네도 참 어지간하다 싶었다.

"뭐, 보나마나 확인할 것도 없겠습니다. 밤에 아주 술판도 벌일 것 같지 않습니까?"

그런데 환은 내 말에 고개를 저었다.

"그래서 더 확인해봐야 할 일이다."

"어째서요?"

"원체 민심을 잃었으니 온갖 헛소문이 나오기 딱 좋거든. 어느 정도인지는 눈으로 확인해봐야 하겠지."

듣고 보니 그 말도 일리가 있었다.

"그런데요."

"응?"

"여기 오시자고 한 목적이…… 저한테 말씀하셨던 것과 좀 다르지요?"

"무슨 소리니?"

"고작 자잘한 비행이나 감시하러 오신 게 아니잖습니까?"

환은 내 말에 정곡을 찔린 듯 아랫입술을 가볍게 깨물었다.

"더 무서운 계획을 갖고 있는 건 아닌지 확인하러 오신 거지요?"

그는 잠시 망설이다 무겁게 입을 열었다.

"……확신은 전혀 없어. 내 과한 망상일 수도 있지."

"그거야 더 조사해보면 알 일이지요."

"너무 걱정할 일은 아닐 거야."

나도 그랬으면 좋겠다고 생각했다.

해가 저물 무렵 다시 유배지로 향했다. 말은 대나무 숲 밖에 적당한 공터가 있기에 묶어두었다. 어둑어둑해져가는 대나무 숲은 음산했다. 혹 들킬까 싶어 등불은 준비하지 않았다.

어둠에 잠긴 초가집은 고요했다. 우리는 담에 바짝 붙어 서서 안을 엿보았다. 방에서 불빛은 새어나오고 있었으나 그뿐이었다.

"잘못된 소문이었던 모양이다."

환이 작게 속삭였다.

"하긴 유배까지 와서 술과 음악이라는 것은 너무 이상하지요."

"민심을 많이 잃은 자니 이상한 소문이 났던 거겠지."

"뜨내기들 소문이 그렇지요, 뭐."

나는 문가에 그림자라도 비치려나 싶어 방문을 뚫어져라 보았다. 잠시 보다보니 수상한 느낌이 들었다.

"그런데 너무 조용하지 않습니까? 동지라 해가 일찍 졌다 뿐이지, 잘 시간은 아닌데요."

"음……."

"아무리 노인네들이 초저녁 잠이 많다지만……."

무언가 미심쩍어 돌을 주워 던졌다. 돌은 집 외벽에 부딪힌 후

툭 떨어졌다. 소리가 나자마자 담에 곧장 몸을 숨겼다. 환도 반사적으로 몸을 숙였다.

"인화야!"

당황한 환이 소리 죽여 나를 불렀다. 나는 손바닥으로 그의 입을 막았다.

"혹시 다른 데 갔을지 어떻게 압니까?"

그래도 그렇지, 라는 눈빛으로 환이 나를 바라보았다.

그때 안에서 문이 열리는 소리가 났다. 나는 살짝 고개를 들어 안을 엿보았다. 흰 머리의 노인이 나와 마당을 한번 둘러본 후 기침을 하고 들어갔다.

"있긴 있네요."

우리가 온다는 사실은 모르고 있을 테니, 일부러 꾸며낸 것은 아닐 것이다. 그렇다면 내가 들은 소문이 역시 헛소문이라고 생각할 수밖에 없었다.

"일단 오늘은 돌아가자."

환이 조용히 몸을 일으켰다. 우리는 빠른 걸음으로 그곳을 빠져나왔다.

주막에 돌아왔을 때, 누군가가 우릴 기다리고 있었다. 옷차림을 보니 관원인 듯한 남자였다.

"어떻게 관아에 기별도 없이 단출히 행차하셨습니까?"

관원이 짐짓 호의적인 웃음을 비쳤다. 환은 아무 말없이 남자를 응시했다.

"뵙자고 하시는 분이 계십니다."

"혹시 여기 유배 온 그 사람인가?"

환이 물었다.

"예, 맞습니다. 보통 이런 편의를 봐드리는 일은 잘 없습니다만, 그분이 이야기를 들으시고 말씀을 전해달라 거듭 부탁하셨습니다. 마침 동짓날이니 오셔서 팥죽이라도 같이 드시며 옛일의 회포를 풀자 청하시더군요."

방금 그곳에 다녀왔노라고 말할 수는 없었다.

"내게 하고 싶은 이야기가 많다던가?"

"동지 밤을 다 지새워도 마치지 못할 정도로 많다고 하셨습니다."

환은 잠깐 무언가를 생각하는 듯하더니 나를 슬쩍 내려다보았다.

이건 두고 가려는 거다.

그런 직감이 들어 얼른 그의 팔에 매달렸다.

"만약 가실 거면 저도 같이 가지요."

"재미없을 텐데."

"팥죽도 먹고 싶고요."

환의 얼굴에 곤란한 미소가 번졌다.

"팥죽을 먹으러 가는 건 아닌데."

"아니면 무엇 하러 거기까지 가십니까? 날도 춥고 해도 저물었는데."

"내게 할 이야기가 많다잖니. 나도 안부가 궁금하고."

환은 그렇게 말하고 관원을 향해 부탁했다.

"잠깐 둘이서 의논하고 가도 되겠나?"

"예. 편히 의논하십시오."

우리는 그에게서 좀 멀찌감치 떨어졌다.

"무슨 헛짓거리를 하려는 거면 어떡합니까?"

"좋은 기회일 수도 있지. 무슨 생각을 하는지 알 수 있는."

"왜 굳이 나리를 부르는 걸까요?"

"그자도 목적이 있겠지. 내게 떠보고 싶은 게 있을 거다."

"으음……."

"그리고 정말 그자가 켕기는 것이 있어 나를 해칠 계략을 꾸민 거라면, 지금 거절하는 게 더 위험하지. 무언가 눈치챘다고 생각할 테니……."

게다가 여기서 곧장 도망치면, 이곳에 온 우리의 목적은 흐지부지될 것이다.

"새벽에 들렸던 소리도 마음에 걸리고."

"그자와 관계가 있을 거라 생각하십니까?"

"그럴지도 모르지."

"그럼 저도 데려가셔야 합니다."

나는 그의 소매를 꽉 잡았다. 환은 머뭇거리다 이내 고개를 끄덕였다.

"그래. 너를 혼자 두기도 불안하고."

"저는 괜찮지만 나리를 혼자 보내는 게 영 불안합니다."

"맨손으로 가는 건 아니니 괜찮겠지."

환은 자신의 허리춤에 찬 검집을 톡 쳤다. 절로 한숨이 나왔다.

"그런 칼자루 하나 믿고 안심하시면 큰일 납니다."

나는 진지하게 한 충고인데 환은 뭐가 웃긴지 입을 가리고 웃었다. 사람이 진지하게 말하는데 귓등으로도 안 들으니 이럴 땐 신이와 뭐가 다른지 의구심이 든다.

"그래. 조금이라도 수상한 기색을 보이면 곧바로 나오자. 나도 네가 위험해지는 건 싫으니 무리하게 움직이지는 않아."

"알겠습니다."

마지못해 고개를 끄덕였다. 어쨌거나 빈손으로 돌아가는 것보다는 뭐라도 알아내는 편이 나을 터였다.

초가집 마당에는 아까와 달리 등불이 밝혀져 있었다. 아까는 어두워 몰랐는데 대문에는 자물쇠도 없었다. 새삼 예전 환의 처지와 비교가 되어 분통이 터졌다. 이 노인네가 조금이라도 이상한 낌새가 있으면 곧바로 안유군에게 일러야겠다는 생각을 했다가, 왕비의 얌전한 얼굴이 떠올라 마음이 복잡해졌다.

"먼 길 오셨습니다."

좌상이 나와서 우리를 맞았다. 세월의 풍파 탓에 이전보다 입가의 주름이 깊어지고 피부도 어두워졌다. 무엇보다 눈빛에 돌던 광채가 많이 탁해졌다. 그는 딱히 내게는 알은체를 하지 않았다.

"일단 들어와서 이야기를 하시지요. 많이 누추합니다만."

"자네도 여기서 고로가 크겠군."

환이 대꾸했다. 그의 음성이 너무 부드러워 놀랐다. 마치 이전 일은 다 잊은 사람 같았다.

"고로랄 게 있습니까?"

"북방이 많이 추울 텐데. 어디 따뜻한 곳으로 보내 달라 주상께 청해볼까? 남쪽 바다에 좋은 섬이 많거든."

나긋나긋하게 좌상을 비꼬는 말을 듣자 안도감이 들었다. 역시 이렇게 뒤끝이 있어야 내가 아는 환이다.

"구들장이 따뜻하니 군이 그런 배려를 하시진 않으셔도 됩니다."

좌상이 웃으며 답했다.

죄를 짓고 벌을 받는 주제에 방바닥이 따뜻하다니. 돌아갈 때 장작을 다 불살라버릴까 생각했다.

방 안에는 상이 준비되어 있었다. 곧 좌상이 팥죽을 세 그릇 떠왔다. 새알이 송송 들어간 따끈따끈한 팥죽이었다. 혹시 독을 탄 건 아닐까 싶어 좌상이 먹는 것을 보고 나도 한 숟갈을 가득 퍼먹었다. 상황은 기묘했지만 시장한 탓에 죽은 잘만 넘어갔다. 팥의 달콤쌉싸름한 맛과 찹쌀의 쫄깃한 질감이 조화로웠다. 도깨비들은 팥죽을 싫어해서 도망친다던데, 아마 먹어본 적이 없는 게 분명하다. 이렇게 맛있는 건 줄 알면 도망칠 리가 없다.

"그런데 어떻게 여기까지 오셨습니까? 이 늙은이가 그리워서 오신 것은 아닐 테고."

"그리우면 안 되는 건가?"

"주상께서 보내신 겁니까?"

좌상이 소리를 낮춰 물었다. 그게 퍽이나 신경 쓰였던 것 같았다.

"당연하지. 그게 아니면 이 겨울에 사서 고생을 할 이유가 있나?"

환이 태연하게 거짓말을 했다.

"주상께서 무슨 연유로……."

"자세한 이야기는 듣지 못했네. 굳이 내게 이 일을 맡기시기에 중요한 문제인 줄 알았는데, 와보니 별 게 없는 것 같군."

"그렇습니까?"

"자네야 여기서 조용히 사는 것 같고. 괜히 사적인 감정으로 이상한 보고를 올리진 않을 테니 걱정할 것 없어."

"예. 안 그래도 딸아이 혼자 그곳에 두고 와서, 애비 된 마음으로 걱정이 큽니다. 저야 어떻게 되든 상관없지만, 제 문제로 그 애까지 곤란하면 안 되지 않겠습니까?"

노인의 주름이 깊어졌다. 두 사람은 팥죽을 먹으며 이야기를 이어갔다.

"그나저나 주상께서 보내신 건데, 왜 두 분만 오신 겁니까? 호위나 수행 인원도 없이……. 주상을 어릴 때부터 지켜보았지만 이렇게 박정한 분인지는 처음 알았습니다."

좌상이 물었다.

"둘만 왔을 리가 있나. 당연히 사람들이 따라왔지."

"그 사람들은 어디 있습니까?"

"조용히 다녀오라는 명이었어. 모여서 이동하면 눈에 띄지 않겠나? 각자 이 마을에 흩어져 있네."

"저런. 날이 추운데."

좌상이 혀를 찼다.

"그나저나 자네는 내가 왔다는 사실을 어떻게 알았나? 여긴 내 얼굴을 알만한 인물이 없어."

"왜 없습니까? 이곳 목민관이 시찰을 나갔다가 시장통에서 모습을 보았다 합니다. 그래서 제게 혹시나 해서 말을 전한 것이고요."

"아, 이곳 목민관? 내가 뽑았던 자였던가?"

"예. 그때 급제자들을 모아 이야기를 나누는 자리에서 뵈어서 똑똑히 기억하고 있었다고 하더군요. 실제로 뵈었더니 아주 인상 깊어 잊히지 않더랍니다."

"그 이야기를 듣고 나니 나도 기억이 나는군."

환은 고개를 끄덕끄덕했다.

죽 그릇이 빌 때쯤 환이 갑작스러운 제안을 꺼냈다.

"오랜만에 이렇게 만났으니 활쏘기라도 하면 어떤가?"

"이 오밤중에 말입니까?"

"등불을 밝히면 되지. 자네 활 솜씨도 빼어났지. 나를 이겨본 적은 없었지만."

"노인을 상대로 가혹하십니다."

"재밌지 않겠나?"

"글쎄요……."

"자네가 한 번은 날 이겨보고 싶어 했잖나. 쉽지 않겠지만."

환의 말에 좌상의 미간에 깊게 주름이 파였다.

"그럼 술 내기를 하면 어떻습니까?"

"좋지."

"봐드리는 일은 없을 겁니다."

"자네야말로 야속하다 생각말게."

두 사람이 속으로는 각자 무슨 생각을 하고 있는지 몰라도 겉만 보면 아주 쿵짝이 잘 맞았다.

"그런데 주변에 활을 쏠 만한 장소가 있나?"

"제가 심심할 때 노는 곳이 있긴 합니다."

"그럼 안내 좀 해주게. 인화야, 너도 따라오면 좋을 것 같구나."

"예, 예."

이 춥고 바람 부는 밤에 무슨 활쏘기냐 싶었지만 일단 일어났다. 환도 무슨 생각이 있겠거니 싶었다.

좌상은 활과 화살통을 챙겨 우리를 대나무 숲으로 안내했다. 관원 서넛이 등불을 가지고 따라왔다. 등불을 여기저기에 거니 숲이 나름 환해졌다. 낮에 환과 둘러보았던 장소였다. 키 큰 대나무로 둘러싸인 공터에는 여기저기 아직 녹지 못한 눈들이 남아 있었다. 밝을 때는 별생각 없었는데 밤이 되니 바람이 나무를 뒤흔들며 흐느끼는 것이 음산하기까지 했다. 바싹 마른 풀이 깔린 공터를 가로질러 저 멀리 과녁이 보였다.

환은 활줄을 몇 번 당겨보았다.

"제가 한 번도 이겨본 적이 없기는 하죠."

좌상이 말했다.

"먼저 할 텐가?"

"좋습니다."

좌상이 먼저 활시위를 당겼다.

승부는 팽팽했지만, 미묘한 차이로 좌상이 계속해서 앞서 나갔다. 내심 환을 응원하던 나는 애가 탔다. 반면 좌상은 입꼬리가 올라가는 것을 감추지 못했다.

"실력이 많이 좋아졌어."

환이 가볍게 그를 칭찬했다.

"워낙 적적한 곳이라 홀로 많이 즐기다 보니 그렇게 되었나 봅니다."

"활을 쏘면서 무슨 생각을 했나?"

"생각할 게 있겠습니까? 오히려 있는 생각을 버리려고 하는 거지요."

좌상이 자기 화살통의 마지막 화살을 쏘았다. 과녁에서 엇나가진 않았지만 중점에서는 먼 곳에 꽂혔다.

됐다. 이거면 역전할 수도 있겠다.

나도 모르게 주먹을 꽉 쥐었다. 동네 닭싸움에 푼돈을 걸어본 후로 이렇게 손에 땀을 쥔 적은 처음이었다.

환은 활시위를 길게 당겼다. 손등에 핏줄이 도드라졌다.

제발, 제발.

마치 악기를 튕긴 것처럼 경쾌한 소리가 나고, 화살이 보기 좋게 밤공기를 갈랐다.

"아……."

내 입에서 맥빠진 소리가 흘러나왔다.

환이 쏜 화살이 과녁을 한참이나 빗나가 대나무 숲으로 날아가버렸던 것이다.

"아무래도 제가 이긴 것 같습니다."

좌상이 웃으며 말했다.

"다시 하지."

"예?"

"방금은 바람 때문이네. 그러니 다시 하지."

환은 얼굴색 하나 안 바꾸고 억지를 부렸다. 아무리 내가 환의 편이라지만 이건 아니다 싶었다. 역시나 좌상도 기가 찬 모양이었다.

"바람은 계속 불었습니다."

"아무튼 화살을 금방 주워올 테니, 그 후에 우리 판정에 대해서 다시 이야기를 나눠보지."

환은 고집스럽게 과녁을 향해 성큼성큼 걸어갔다. 그는 옆에서 구경하던 나를 향해 손짓했다.

"인화야. 거기 등불 좀 들고 따라오거라. 보여야 뭘 찾겠지."

"예? 무슨 몸종처럼 부려먹으십니다."

"활을 쏘았더니 손이 아파서 말이다."

"그러니까 왜 그 고운 손으로 활시위를 잡고 그러십니까?"

나는 투덜거리며 옆의 등불을 들고 그를 따라갔다. 과녁 너머 대나무 숲은 아주 깜깜해 등불이 없이는 한 치도 보이지 않을 정도였다.

"별로 멀리 간 건 아닐 테니 기다리게."

환이 큰 소리로 말했다.

"예, 그 고집을 누가 꺾겠습니까?"

좌상이 뒤에서 한숨 섞인 목소리로 대꾸했다.

생각보다 화살은 더 멀리 날아간 모양이었다. 환은 점점 대나무 숲 깊은 곳으로 들어갔다.

"나리, 저기."

내가 화살을 발견하고 주우려는데 환이 내 손을 확 당겼다.

"줍지 마."

그가 작게 속삭였다.

"예……?"

환은 내 손의 등불을 힐끔거리더니 땅에 무얼 줍는 척 몸을 숙이고 등불을 후 불었다.

불이 꺼져버렸다. 사방이 깜깜했다. 환은 내 손을 꽉 쥐었다.

"아, 바람에 등불이……."

환은 일부러 소리 높여 말했다.

"괜찮으십니까?"

대나무 숲 저편에서 좌상의 목소리가 들렸다. 그도 불빛이 사라진 것을 보았을 것이다.

"걱정 말고 기다리게. 지금 찾았어. 주우려 하다 불이 꺼져버렸네."

"모시러 갈까요?"

"아니, 그쪽 불빛이 보이니 괜찮아."

환은 그렇게 외치고는 내 귓가에 속삭였다.

"뛰자. 되도록 조용히."

"예……?"

나는 영문도 모른 채 환을 따라 뛰었다.

"대체 왜요?"

달리며 물었다.

"여기 목민관은 내 얼굴을 몰라."

"아까 만났다고 하시지 않았습니까?"

"내가 왕위에 있을 때 그자가 급제한 건 사실이지. 그런데 그 해엔 기호 지방에 큰 화재가 있었어. 몇 마을이 탔지. 대책을 마련하느라 바빴고."

환은 숨을 크게 들이쉬었다.

"그래서 급제자들의 모임에는 참석하지 못했다."

"그걸 어떻게 기억하십니까?"

"내가 뽑아놓고 얼굴들을 보지 못해 미안한 마음에, 차후에 다시 부르려고 누군지 하나하나 외워뒀으니까."

"그 사람이 나리의 초상화를 본 걸 수도……. 아……."

분명 좌상은 그자가 환을 직접 보았고, 그래서 잊을 수 없었다고 했다.

"왜 그런 거짓말을……."

"모르지. 중요한 건 그자가 거짓말을 해야 할 이유가 있었다는 거다. 그게 새벽에 들은 소리와 관계가 있을지도 모르고……. 아무튼 말을 타고 바로 한성으로 돌아가자."

말은 대나무 숲 바로 앞 공터에 묶어두었다. 그리 멀지 않은 거리이니 무사히 도망칠 수 있을 거라고 생각했을 때였다.

대나무 틈으로 몰려나온 병졸들이 삽시간에 길목을 막았다. 환이 반사적으로 내 어깨를 안았다. 나는 불안한 숨을 진정하려 가슴 위를 꾹 눌렀다.

"이런 식으로 양민을 가로막는 법도가 어디 있는지 모르겠네만, 용건이 있다면 용건을 말하게."

환의 목소리에는 떨림 하나 없었다.

"양민?"

어디서 비웃는 목소리가 울렸다.

"열심히 도망치던 나리께서 그런 말씀을 하시니 영 어색합니다."

목소리의 주인이 병사들을 헤치고 앞으로 걸어 나왔다. 뒤따라온 관원이 들어올린 등불이 그의 모습을 훤히 비추었다. 당연하게도 나는 그를 곧 알아보았다.

덕이였다. 낮처럼 보랏빛 옷을 입고 있었다. 낮에 나는 덕이를 놓쳤던 것이지, 헛것을 본 게 아니었던 것이다.

"귀신이라도 본 것처럼 놀라니?"

덕이가 나를 향해 이죽댔다.

"너 왜 여기 있냐?"

"왜 여기 있느냐니. 벌써 몇 년이 흘렀다. 노역도 끝났다는 거지."

"그래. 그럼 섬에나 처박혀서 네 늙은 부모나 괴롭힐 것이지, 왜 여기 있느냐는 거야."

"그러는 삼월이 너야말로 왜 여기까지 왔어? 나중에 한성 가서나 얼굴 볼 줄 알았더니."

말의 내용만 들으면 퍽 다정하다. 하지만 그렇게 말하는 덕이의 눈빛은 당장이라도 달려들 것처럼 사나웠다.

"낮에 너 보고 내가 얼마나 반가웠는지 아니? 당장 어르신께 말씀드렸지."

"어르신? 우리가 온 걸 네가 말했구나? 너 그 노인네랑 또 붙어먹었냐?"

"붙어먹는다는 건 너희 둘에게 쓰는 말이고."

"그 노인네가 덕이 너한테 중요한 일을 맡길 리가 없는데. 술심부름이라도 하나 보지?"

내 말에 덕이는 대번에 얼굴이 일그러졌다. 이런 식으로 살살 비꼬면 덕이가 속내를 발끈해서 털어놓을 것을 알고 있었다. 최소한 옛날의 덕이라면 말이다.

노역장에서의 모진 세월도 사람을 바꾸지는 못한 것인지, 덕이는 내 예상대로 쉽게 입을 열었다.

"시골 계집애 생각이 끽해야 그 정도지. 네까짓 게 뭘 알아?"

"너 같은 촌뜨기한테 그 노인네가 시킬 일이 없단 것 정도는 알지. 네가 뭐 제대로 할 줄 아는 게 있긴 하냐?"

"있지. 내가 얼마나 중요한 일을 맡았는지 넌 모를 거다. 뭐, 어차피 여기서 너흰 죽을 거니 나중에 내 성공한 모습은 못 보겠구나."

덕이는 흰소리를 지껄이며 낄낄댔다. 우리를 둘러싼 창날이 번뜩였다.

"대감이 나한테 약속한 게 있단 말이지. 나중에 한성에 돌아가면 나에게 한자리를 준다고 말이야."

"나라님이 미쳤다고 그 노인네를 다시 불러?"

"누가 불러주길 기다린대? 그까짓 거 쫓아내면 그만……."

"그만 좀 나불대라."

굵직한 목소리가 덕이의 말을 끊었다. 어느 사이 좌상이 덕이의 뒤에 도착해 있었다.

"어차피 오늘 죽을 자들인데 어떻습니까?"

"밤말은 쥐가 듣는다. 어쩌다 이런 게 찾아와서는……."

좌상은 덕이를 옆으로 밀쳤다.

"예전부터 도망치는 데에는 일가견이 있으셨지요. 눈치는 빨라서."

"도망친 적은 없어. 쫓겨난 적은 있어도."

환의 말에 좌상은 코웃음을 쳤다.

"이 상황에도 참 꼿꼿하지."

좌상은 그렇게 중얼거리며 우리에게 한 걸음 다가섰다. 두려움이 아니라 불쾌감에 환에게 좀 더 붙어 섰다.

"나는 세자 시절부터 그 눈빛이 마음에 들지 않았어."

그가 말했다.

"도무지 말을 듣지 않아서……."

좌상이 혀를 쯧쯧 찼다.

"내가 자네 말을 들었어야 할 이유가 있나?"

"그럼 이 꼴은 안 됐겠지."

주름진 입가에 비열한 조소가 번졌다.

"처음부터 네가 아닌 다른 대군이 그 자리를 차지했다면 오늘 날을 자초하지도 않았을 텐데. 아, 차라리 여기까지 오지 말지 그랬나? 그러면 잠시라도 더 목숨을 부지했을 텐데. 어차피 내년이면 내 손에 죽었겠지만."

노인의 목소리는 아까와 달리 냉혹했다. 마치 국문장에 환을 죽이라 핏대를 세우던 그때 같았다.

"이 시골구석에 박혀서 그런 헛된 꿈이나 꾸고 있었군."

환이 냉소적으로 대꾸했다.

"헛된 꿈? 내가? 하기야 네게 확인시켜줄 수도 없겠군. 네놈은 오늘 여기서 죽을 테니 말이야. 아쉽지 않나. 네가 등 떠밀어 용상에 앉힌 동생의 목이 떨어지는 걸 보게 해주고 싶었는데."

좌상은 참혹한 말을 눈 하나 깜짝 않고 지껄였다.

"나를 여기서 죽이면 뒷일은 어떻게 처리하려고?"

"어차피 여기서 너를 놓쳐도 곤란한 것은 마찬가지지. 그럴 바엔 죽이는 편이 처리하기 쉽지 않겠나? 시체는 떠들어대진 않으니까."

"주상이 보낸 사람들이 있어. 조정에서 금방 조사를 할 테고."

"아니. 넌 혼자 왔어. 네 동생에게 말하지도 않았겠지. 내가 네 밑에서 보낸 세월이 얼마인데 그것도 모를 것 같나?"

좌상은 이어 병사들을 향해 명령했다.

"계집애부터 죽여. 저놈 눈에서 피눈물이 흐르는 걸 봐야 내 속이 풀릴 것 같으니까."

날붙이들이 일제히 우리를 향했다. 앞뒤로 병사들이 간격을 좁혀왔다. 머릿속이 하얘졌다. 그때 침착한 환의 음성이 귓가에 닿았다.

"인화야, 겁먹을 것 없어."

"어떻게 하실 겁니까?"

"일단 말이 있는 곳까지만 가면 이 마을을 빠져나갈 수 있을 거다."

"거기까진 어떻게……."

내 말이 끝나기도 전에 환은 허리에 차고 있던 검을 빼 들었다.

달빛이 반듯한 날 위로 흘러내렸다. 그가 검을 잡은 모습을 한 번도 본 적이 없기에 오히려 더 불안해졌다.

"틈이 생기면 무조건 뛰어. 내가 뒤에서 어떻게든 막고 따라갈 테니."

"하지만……."

"괜찮을 거다."

환이 나를 안심시키려는 듯 어깨를 가볍게 잡았다 놓았다. 크게 믿음이 가진 않았지만 마땅히 다른 방법도 없었다. 여기서 멀뚱히 서서 죽을 수는 없는 노릇이었다. 내 딴에도 뭔가 해야겠다 싶어 발에 채는 큼지막한 돌멩이 서너 개를 집어 들었다. 덕이가 비웃는 소리가 들렸다.

"가관이네."

안다. 사내들의 어깨높이에나 고작 닿는 내가 돌을 집어 든 모습은 분명 우스울 거다. 하지만 덕이는 나를 만난 지 너무 오래되어서 나에 대해 잊은 것 같다. 노역장에는 못 비기더라도 나 역시 웬만한 궂은일은 다 하고 살아왔다. 거기다 손으로 하는 건 곧잘 칭찬도 듣던 나였다. 동네 아이들과 물제비 놀이라도 하면 멀리 던지기로 일등은 못 해도…….

"그래, 한 번 발악이라도 해봐야……. 아악!"

맞추는 건 자신 있었다.

덕이는 뒤늦게 양손으로 제 입을 감쌌다. 코를 맞추려고 했는데 마지막에 어설프게 피하는 바람에 입으로 비켜 맞았다. 그는 콜록거리며 피를 뱉어냈다. 부러진 앞니가 흰 눈 위로 툭 떨어졌다.

"한심한 놈."

좌상이 덕이를 경멸의 시선으로 바라봤다. 꼴 보기 싫기는 저 노인네도 마찬가지였다. 가장 묵직하고 거친 돌을 골라 힘껏 던졌다.

이마가 깨지는 시원한 소리와 함께 좌상의 몸이 뒤로 기우뚱했다. 병사 두엇이 쓰러지는 그를 잡느라 순간적으로 창을 놓쳤다.

지금이었다.

죽기 아니면 까무러치기로 달렸다. 동시에 병사들도 나를 향해 달려들었다. 큰 창이 불쑥 내 몸을 노리고 들어왔다.

여기까진가.

반사적으로 눈을 꾹 감았다. 시간이 아주 느리게 흘렀다.

아직은 죽고 싶지 않았다.

여기서 죽으면…….

여기서 우리가 죽으면 신이는 영영 혼자가 될 테다. 집에서 일을 도와주시는 분들도 슬퍼할 것이고, 안유군 내외도 괴로워하겠지.

그 사람들과 아직은 헤어지고 싶지 않았다.

무엇보다 나는 아직 환에 대해 모르는 것이 많다. 나는 아직 환이 어떤 악몽을 가장 무서워하는지 모르고, 환이 보았던 가장 아름다운 꽃이 무엇인지도 모른다. 환이 두 번째로 사랑하는 풍경이 무엇인지 모르고, 가장 자신 있는 노래가 무엇인지 역시 모른다. 아직도 그에 대해 너무도 알고 싶은 것이 많은데 이대로 영영 헤어질 수는 없었다.

그때 등 뒤에서 환이 나를 확 끌어안는 느낌이 들었다. 금속이 부딪치는 소리가 고막을 찢을 듯 연달아 울렸다. 각오했던 아픔은 느껴지지 않았다.

"인화야."

귓가에 닿는 음성에 간신히 눈을 떴다. 멈췄던 숨을 크게 들이켰다. 나를 내찔러 왔던 창은 어디론가 사라지고 눈앞에 병사 몇이 피를 흘리며 나뒹굴고 있었다.

"빨리 뛰자."

어떻게 된 상황인지 파악하고 있을 여유는 없었다. 나는 죽을 힘을 다해 앞으로 내달렸다. 뒤에서 쫓아오는 병사들의 고함이 늘렸다.

다행히 말은 우리가 묶어둔 자리에 얌전히 있었다. 환은 곧장 말을 출발시켰다. 말은 곧장 성문을 빠져나갔다.

"이제 괜찮은 걸까요?"

"아직. 어떻게든 잡으려 뒤쫓겠지."

환의 말대로였다. 저쪽도 저쪽 나름의 절박한 이유가 있었다.

요란한 말발굽 소리에 뒤를 돌아보니 기마병들이 우리를 추격하고 있었다.

"검을 쓰실 줄 안다고 왜 말씀 안 하셨습니까?"

"누누이 말했잖니. 네가 안 믿어준 거지."

환이 한 말이라고는 세자 시절에 자신의 몸을 지키는 방법 정도는 배웠다는 것뿐이었다. 난 고작해야 남의 손목이나 떨쳐낼 줄 아는가 보다 생각했다.

"호신이라는 게 이렇게 대단한 거였습니까?"

"그래야 살아남지."

환은 말을 산 위로 몰았다. 비탈은 어제 내린 눈 때문에 미끄러웠다. 추격하던 병사의 말이 넘어지며 큰 비명이 울렸다. 기세를 몰아 더 빠르게 산을 올랐다.

말은 눈이 녹아 땅이 드러난 곳들을 밟으며 달렸다. 질척이는 진흙이 자꾸만 말발굽을 잡아챘다. 다시 뒤편에서 말발굽 소리가 가까워졌다 멀어지기를 반복했다.

내가 할 수 있는 일이라곤 잡히지 않게 해달라 기도하는 것뿐이었다.

얼마나 기도했을까 뺨에 차가운 것이 닿았다. 눈이었다.

말발굽 소리가 멀어지더니 곧 들리지 않게 되었다. 우리가 탄 말 역시 속도가 느려졌다.

우리가 도착한 곳은 어제 묵었던 폐허가 된 마을이었다.

"이 집에는 두 번이나 신세를 지는구나."

환이 말에서 내리며 말했다.

부엌에는 아직 장작이 남아 있었다. 우선 불부터 붙였다. 열기를 쬐고 있으니 어쩐지 콧등이 시큰거렸다.

눈은 어제 못지않게 펑펑 내렸다. 폭설은 말발굽을 지워버릴 테고, 추격을 늦출 것이다. 말에게 먹이와 물을 준 후 방에 들어와 서로를 끌어안고 누웠다. 바닥에서 미지근한 열이 올라왔다. 죽음의 문턱에서 돌아왔다는 게 실감이 나지 않았다.

나는 그의 가슴께에 이마를 댔다. 강한 박동이 느껴졌다.

살았다. 살아 있다.

새삼스러운 사실에 눈가가 젖었다. 우리는 한참 동안 숨을 가다듬었다.

"나리께선 어떤 악몽을 가장 무서워하십니까?"

숨이 완전히 진정된 후 물었다.

"어릴 때는 선친이 나를 죽이는 꿈."

그는 낮게 대답하고 내 머리칼을 쓸어내렸다.

"지금은 너를 잃는 꿈."

한숨 섞인 음성이 어둠 속으로 흩어졌다.

"나리께서 보신 가장 아름다운 꽃은요?"

내가 이어 물었다.

"너랑 보았던 이화지."

"저도 그렇습니다."

"내년 봄에도 그 나무에는 꽃이 피겠구나."

"다시 볼 날이 있을까요?"

"그럼."

"그러면……, 나리께서 두 번째로 사랑하시는 풍경은 뭡니까?"

"두 번째? 첫 번째도 아니고?"

"첫 번째는 알 것 같아서요."

"음……."

이번 질문은 좀 어려웠나 보다. 환은 잠깐 고민하다 입을 열었다.

"한성 시전 거리에서 걸어가고 있는데, 한참 걷다 너와 신이가 없는 걸 알아채는 거야. 그래서 뒤를 돌아보면 둘이서 쭈그려 앉아 상자에 담긴 새끼 토끼를 쓰다듬고 있는 거지. 나는 그 풍경이 두 번째로 좋아."

별난 대답이라 웃음이 났다. 내가 웃자 그도 좀 따라 웃었다. 하기야 내 질문도 퍽 이상한 것들뿐이었다.

"그럼 가장 자신 있으신 노래는 뭡니까?"

"노래는 다 자신이 없지."

"왜요? 목소리가 이렇게 좋으신데."

"너만 할까."

부드러운 음성이 귓가를 간지럽혔다. 눈이 내리는 소리보다 보드랍고, 바닥의 열기보다 따뜻한 목소리였다.

몸이 노곤하게 풀리면서 졸음이 몰려왔다.

이제 괜찮아.

그가 정말 그렇게 속삭였는지, 아니면 내가 잘못 들었는지는 모르겠다. 수마가 나를 깊은 잠 속으로 끌어당겼다. 눈발이 창을 똑똑 두드리는 소리를 들으며 눈을 감았다.

어제는 우리의 발목을 잡았던 눈이, 오늘은 우리를 지켜주고 있었다.

한성의 추위야 알아줘야 하지만, 올해는 더욱 바람이 스산했다. 오래전 반정과 관련되었던 도당들을 나라님이 처형할 것이라는 소문 때문이었다. 겁도 없이 반역을 꾸몄다는 무거운 죄목이라 했다. 실체 없는 이야기는 안개처럼 상민들 사이를 떠돌았다. 장인과 사위의 대립을 두고 천륜이니 인륜이니 하는 말이 썹다만 오징어다리처럼 술상 위를 굴러다녔다.

추위가 꺾일 무렵에서야 소문은 사실이 되었다.

입춘을 하루 앞둔 날, 처형이 거행되었다.

궁의 서쪽 저잣거리의 공터에서 목을 벨 것이라 했다. 사람들은 처형을 보러 가는지 동에서 서로 갔다. 환과 나는 그 인파를 거슬러 서에서 동으로 걸었다.

안유군은 죽음을 진정한 형벌이라 여기지 않기에 살려두고 싶었다고 속내를 털어놓았다. 그런 안유군에게 환은 삶이 향락인 자들에게 죽음은 제법 괜찮은 벌이라고 말했다. 나는 속으로 환의 말을 조금 고쳤다.

욕심이 남은 자들에게 죽음은 형벌이다.

삶이 아무리 고통스러워도 욕심이 남아 있다면 삶을 꿈꾼다.

자포자기했던 시절 나는 차라리 죽음에서 위안을 찾았다. 그러나 지금은 그렇지 않다. 내 작은 욕심인 당신이 이곳에 남아 있는 한, 내게 죽음은 세상에서 가장 괴로운 일일 것이다.

"어쨌거나 반역을 모의했던 자들을 살려둔다는 건 말이 안 되는 일이지."

환이 말했다. 바람이 찼다. 우리는 굳이 그들의 최후를 보러 가지는 않았다. 그놈들이 한 일을 잠시라도 잊고 마지막에 동정심이 들까 두려웠다.

아비가 입고 죽었던 피에 젖은 솜옷을 떠올렸다. 그런 놈들이다. 그렇게 아프고 약한 사람에게 잔인한 운명을 주었던 놈들이다. 동정할 가치도 없다. 이런 벌도 싸다.

그런데도 내 입에서는 엉뚱한 말이 흘러나왔다.

"충분한 것 같습니다."

환은 대답 대신 고개를 한번 끄덕였다. 무엇이 충분한지 묻지 않았다. 어쩌면 그도 비슷한 생각을 했는지도 모른다.

서북에서 돌아오자마자 환은 안유군에게 좌상 일당의 수상한 움직임을 전했다. 몇 번의 작은 전투가 오갔고, 좌상의 꿈은 허망하게 무너졌다. 안유군이 환과 내게 포상을 하고 싶다 했지만 환이 단칼에 거절했다. 나는 받고 싶었는데 말이다.

"그렇게 고생했는데 빈손이라니, 몇 번을 생각해도 너무 보람이 없습니다."

괜히 그 생각이 나서 환에게 투덜댔다.

"왜 없니?"

환이 웃으며 반문했다. 우리는 서책 방에 들러 책을 구경하는 중이었다. 안유군이 신이에게 준 책은 다 너무 어려운 것들뿐이었다. 어디 그림책이라도 있으면 쥐여줄 생각이었다.

"얻은 게 있어야지요."

"얻은 게 있지."

내가 의아한 듯 그를 바라보자 환이 피식했다.

"기억 안 나니? 집으로 돌아왔던 날."

나는 환의 말을 듣고 그날을 떠올렸다.

서북에서 간신히 탈출한 후 달리고 달려 한성의 집으로 돌아왔다. 늦은 오후였다. 대문을 열자마자 일꾼들이 우리 몰골을 보고 탄식을 했다. 아니, 여행이 아니라 어디 전쟁을 다녀오셨나……. 늙은 일꾼이 중얼거리는 소리가 똑똑히 들렸다.

신이가 쪼르르 달려 나와 내 다리에 매달려 엉엉 울었다.

"엄마……."

아이의 입에서 터져나온 첫마디를 듣고, 그 애를 꽉 끌어안았다.

나는 이 한마디를 듣기 위해 살아 돌아왔구나.

그런 생각이 들어 눈물이 핑 돌았다.

그날 입을 연 후로 하나하나 할 줄 아는 말이 늘어가더니, 요즘은 어찌나 재잘대는지 하루도 조용할 날이 없었다.

"그게 얻은 겁니까? 마음의 평화를 잃은 것 같은데요."

내 농에 환이 소리 내 웃었다. 우리는 그림책 두 권을 계산하고 나왔다. 이제 거리에는 두세 사람만이 지났다.

한적한 거리를 걸으며 이제 겨울도 거의 끝나버렸다는 생각을 했다. 길가에 언뜻 쌓인 눈도 곧 녹아버릴 듯 흐물흐물했다.

"얻은 게 또 있지."

환이 말했다.

"다른 거요?"

"우리가 다음 봄에도 함께 있을 수 있잖니."

"그건 뭐……."

나는 그의 손을 그러쥐었다.

"그건 얻은 게 맞긴 하지요."

한결 누그러진 바람이 우리의 뺨을 쓸고 지나갔다. 짙은 겨울

냄새 속으로 한 가닥 온기가 스쳤다. 나는 잠시 눈을 내리깔고 그 온기를 깊이 들이쉬었다.

마치 이런 온기가 처음이라는 듯, 심장이 아릿하게 뛰었다.

나는 당신의 손을 꽉 잡고 음지에서 양지로, 겨울에서 봄으로, 어제에서 내일로 발을 내디뎠다.

"곧 봄이 올 것 같네요."

"벌써 온 것도 같은데."

"성격이 너무 급하신 거 아닙니까? 아직 저만치에서 오는 중입니다."

나는 마치 거기 봄이 있는 듯 검지를 뻗어 우리 앞을 가리켰다.

그러자 정말 저 앞에서 봄이 우리에게 성큼성큼 걸어오는 것이 시야에 보이는 듯했다. 나는 태어나 처음 봄을 맞는 듯 가슴이 설레었다. 봄은 동녘에서 오는 것도 같았고, 당신과 맞잡은 손바닥 사이에서 오는 것도 같았다.

집으로 돌아가면 신이가 맞아주겠지. 어쩌면 또 뭔가를 부숴서 꾸중해야 할지도 모른다.

저녁엔 따뜻한 식사를 하고, 아이에게 그림책을 읽어줘야지.

입춘이 지나고도 몇 번은 더 눈이 내리겠지.

그럼 아이와 당신은 내가 만든 장갑을 끼고 나가 눈싸움을 할 것이다.

그렇게,

그렇게 아늑한 겨울을 보내고 나면…….

봄이 온다.

당신이 좋아한다 했던 바로 그 계절이 온다.

스물여덟 번의 봄을 지났지만, 올봄 같은 계절은 결코 겪어본 적 없으리란 것을 안다.

당신이 주는 봄은 늘 첫 봄, 새로운 봄이기 때문이다.

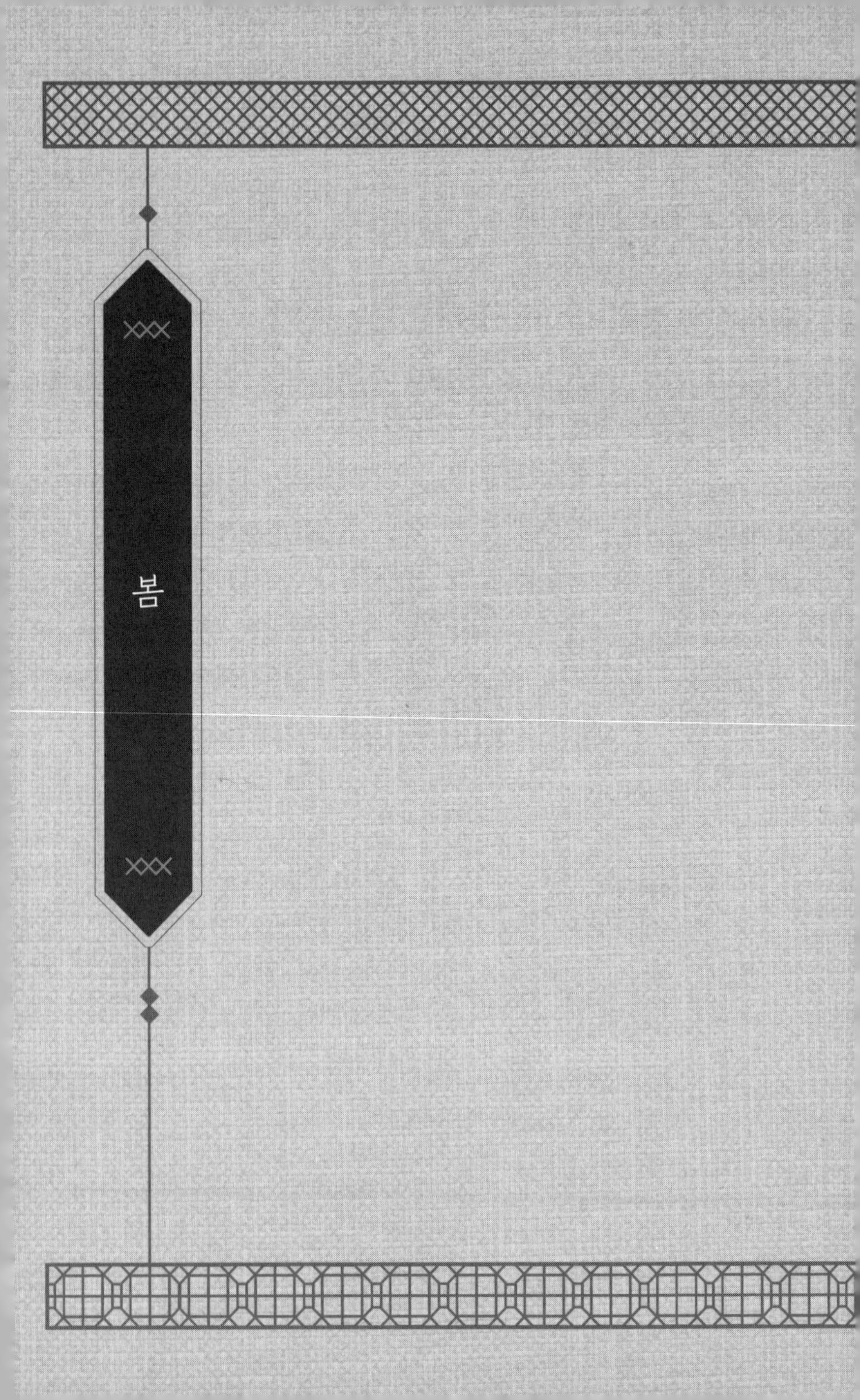
봄

절벽에 걸터앉아 일몰을 기다렸다.
아무 생각 없이 파도 소리를 들으며 시간을 보냈지.
내가 가장 좋아하는 장소여서일까,
홀로 가만히 있어도 지루한 줄 모르겠더구나.

한성에는 아직 꽃샘추위가 한창이겠지.

이곳의 온기를 네게 보낼 수 있다면 좋을 텐데.

멀리서 네게 안부 전한다. 신이와 은이에게도 내가 그 아이들을 몹시도 그리워하고 있다고 전해주렴.

지금은 밤이다. 내가 지금 어디서 이 편지를 쓰고 있는지 알면 너는 깜짝 놀라겠지. 어쩌면 좋은 곳들 다 두고 왜 그런 곳에서 묵느냐며 핀잔을 줄지도 모르겠다. 하지만 내게는 이곳이 세상 가장 아늑한 곳으로 느껴진다.

너와 처음 만났고, 처음 밤을 보냈고, 첫아이를 얻은 곳이 이곳이었으니.

이 집 여기저기에는 아직 네 웃음소리가 묻어 있는 듯한데.

오늘 밤 이 절벽 위에는 파도치는 소리만 요란하다.

그동안 서신 한 통 보내지 못했던 것은 용서하렴. 워낙 이동이 길고, 하루라도 빨리 다녀오고 싶은 마음에 정신이 없었다. 그래도 네가 내 소식을 몹시 궁금해할 것 같으니 오늘은 소상히 쓰도록 하마.

오늘 아침 섬에 도착했다. 어젯밤은 배 안에서 생각이 많아 쉬이 잠들지 못했다. 선실에서 나와 밖을 보니 바다는 내가 유배를 오던 때처럼 검더구나. 달도 없는 밤이라 어둠은 더욱 깊었다.

내가 처음 그 바다를 건넜던 것이 벌써 십 년 전이다.

그동안 형상이 있는 모든 것들은 변했지만, 어둠만은 꼭 옛것 그대로였다. 그러나 그 어둠을 바라보는 마음만은 전혀 달랐다. 일전에는 절망 속을 허우적거렸다면, 어제는 몹시도 네가 그리웠다. 두 마음의 닮은 점이 있다면 아마 외로웠다는 거겠지.

하지만 어제의 외로움은 십 년 전 그때처럼 막막한 외로움은 아니었어. 집으로 돌아가 네 미소를 마주하면 이 기분은 씻은 듯 사라질 테니 말이다.

창밖을 보니 어제와 달리 오늘은 손톱만 한 달이 간신히 고개를 들이밀었다. 그 희미한 빛에도 나는 마음이 술렁인다. 너 역시 한 성에서 저 비밀스러운 빛을 보고 있을 거라 생각하기 때문일까.

다시 오늘의 일로 돌아가자.

섬에 도착한 후 경을 만나기 전에 장인의 무덤부터 들렀다. 우리가 만들어둔 작은 표지는 여전히 잘 있더구나. 무덤 주위의 잡초를 정리하고 술을 뿌려드린 후 왔다. 의도한 것은 아니었다만, 마침 기일도 이맘때잖니. 이걸로 몇 해 간 방문 못 한 네 마음에 조금이라도 위안이 되었길 바란다.

아마 너와 나에게 부모라는 존재의 의미는 퍽 다르겠지.

그런 두 사람이 함께 부모라는 역할을 수행하고 있으니 때로 손발이 맞지 않았던 것은 어쩌면 당연한 일일지도 몰라. 그래도 우리는 꽤 잘해왔다고 자부하는데. 너는 이 말을 들으면 코웃음을 치겠지만.

어쨌거나 장인과 나는 생전에 한 번도 마주친 적이 없지만, 그에게 가장 중요한 사람도 너였고 나에게 가장 중요한 사람도 너이니, 우리는 꽤 큰 공통점이 있는 셈이지.

산에서 내려와 곧장 경이 위리안치되었다는 곳으로 향했다.

사실 처음 주상이 경의 소식을 선해줬을 때는 상당히 놀랐다. 나한테조차 경을 이 섬에 유배 보낸 것을 말해주지 않았거든. 원래는 폐위된 직후 이 섬만큼이나 외진 남쪽 변방에 가둬두었는데, 좌상의 사건이 있고 난 후 비밀리에 이 섬으로 옮겼다고 하더구나. 주상에게서 경이 위독하단 사실을 들었을 때, 어째서였을까, 그다지 길게 고민도 하지 않고 그를 방문하고 싶다 청했다. 네가 싫어하지 않을까 했는데 뜻밖에도 너는 흔쾌히 다녀오라 했고.

그럴 때마다 나는 네가 나보다 어른스럽단 생각이 든다.

경이 위리안치된 곳은 네가 살던 마을에서는 멀리 떨어진 곳이었다. 수령이 나를 경에게 안내했다. 그는 이미 소식을 듣고 나를 기다리던 중이었지.

상태가 많이 안 좋냐는 물음을 던지자 수령은 고개만 저었다.

고약하게도 나는 재차 같은 질문을 했다. 마음이 너무 불안한 까닭에 무엇이라도 듣고 싶었던 것이다.

"솔직히 말해 여태껏 목숨이 붙어 있는 것이 기적입니다."

수령이 마지못해 답했다. 그는 반역자이자 폐주인 경을 어떻게 대해야 할지 난처해하는 기색이 역력했다. 대놓고 경멸할 수도 없고, 그렇다고 동정을 보일 수도 없을 테니.

알지, 내가 가장 잘 안다.

그런 사람은 존재만으로 주변을 곤혹스럽게 한다.

자물쇠를 풀어준 후 수령은 밖에 사람을 대기시켜두겠다 했다. 얼마든지 긴 이야기를 나누라며 말이다. 증오로 얼룩진 형제의 마지막 만남을 위한 배려였다.

경이 나왔다.

나는 문을 열고 나오던 그 애의……. 아니, 그자의 모습을 영영 잊지 못할 것 같다.

경은 내가 생각하던 것보다 훨씬 병색이 짙더구나. 정말로 살아 있다는 것이 기적으로 보일 정도였다. 얼굴은 검었고, 숨소리는 옅었다. 몸은 너무 말라 곧 부서질 것 같았지. 사람이 저렇게 부식되어 가는구나. 덜컥 겁이 났다.

"나오지 마라. 들어가자."

"싫습니다. 어차피 곧 송장이 될 텐데, 벌써부터 시체처럼 누워 있으란 말입니까?"

쌀쌀맞은 말투는 여전했지만 목소리는 힘이 없었다. 경은 내 부축을 거절하고 마루에 앉았다. 잔인하게도 마당의 꽃나무는 꽃을 활짝 피워 향기가 물씬했다.

"그 천한 것에게 왕좌를 내어줬으니, 어차피 형님이나 나나 똑같은 죄인입니다. 하지만 형님의 죄가 더 크겠지요."

경이 말했다.

"적어도 그 애는 우리보다 나은 왕이 될 거다."

"어지간히 감싸고 도시는군요. 예전부터 그러셨죠. 동정이라도 하십니까?"

"내가 동정하는 건 너다."

내 말에 경이 나를 노려보았다. 아니, 노려보려고 한 것 같다는 표현이 정확하겠지. 그에게는 그만한 힘도 남지 않았어.

"세월이 흐르니 입매에서 이전보다 더 그분 같은 느낌이 나는군요."

경은 내 얼굴을 한참이나 물끄러미 보았다. 그가 내게서 모친의 흔적을 찾는 것은 별스러운 일도 아니었다. 그럴 때마다 그의 눈에서는 이유 모를 간절함이 묻어났다. 내가 갖지 못한 유년기를 그는 가졌으니, 나는 아마 영영 그를 이해하지 못할 거다.

"그 얼굴을 보고 있으니 옛날 생각이 납니다. 아주 어릴 적이었죠. 가끔 길을 잃은 척 내전에 가서 그분과 이야기를 나누곤 했습니다. 아이들에게 다정한 분이셨습니다."

"그래."

"형님이 내칠 만한 사람이 아니었단 겁니다."

"그랬지."

"저는 형님이 너무 싫었습니다. 제가 가장 증오하는 부왕과 가장 사랑했던 그분을 반반씩 닮았으니까요."

내 모친에 대한 경의 감정이 부채감인지, 그렇지 않으면 정말 순수한 애정인지 알 수 없었다. 어쩌면 그 스스로도 모를 것이다.

"안됐구나. 너에게는 내가 좋아할 만한 부분이 하나도 없었는데."

그런 모진 말을 했던 것도 같다.

"그래도 예전에는 눈빛은 좀 다르다고 생각했는데……. 이제는 눈빛도 꼭……."

경은 말을 맺지 않고 시선을 내렸다. 바다에서 불어온 거친 바람이 웅웅거렸다. 바람이 우리보다 많은 말을 하고 있었다.

"좋지 않습니까?"

경이 또 물었다.

"만개한 꽃의 향기 말입니다."

경의 말대로 무르익은 꽃향기는 현기증이 날 정도로 향긋했다.

"저는 계절 중에 봄이 가장 좋더군요."

"나도."

"어울리지 않는 소리를……."

"뭐가?"

"형님과 같이 차가운 분이 무슨 이런 계절을."

경이 빈정댔다. 굳이 반박하지도 변명하지도 않았다.

"꽤 행운아 아닙니까? 저는 저 꽃이 지기 전에 죽을 테니까요. 이렇게 좋은 봄에 죽을 수 있다는 거 말입니다."

"그래. 네가 저지른 짓에 비하면 복에 겨운 거지."

"형님만 하겠습니까?"

경의 농담이 날카롭게 나를 찔렀다. 아마 그도 내 말에 아팠을 테다.

나는 내가 저지른 짓에 비해 말도 안 되게 행복한 삶을 살고 있다. 가끔은 이래도 되는 걸까 겁이 난다. 모든 게 다 네 덕분이다. 과분한 것을 얻었으니 언제까지나 목숨을 다해 지켜야겠다는 생각뿐이다.

경의 이야기를 하고 있으니 새삼 사방에 가득한 어둠이 나를 잡아먹는 것만 같다. 나는 지금 심연 속으로 침잠하고 있어. 어서 네가 손을 뻗어줬으면 좋겠다. 네가 내 손을 잡아준다면 이런 괴로운 생각은 순식간에 씻겨나가고 두근거림만 남을 텐데.

지금은 네 온기를 상상만 한다.

촛불 하나를 더 밝히고 왔다. 촛불이 마음을 밝히지는 못하지만, 적어도 방 구석구석 남은 네 흔적은 더 잘 보이게 한다. 그것만으로도 마음이 다 나은 것 같다.

다시 경의 이야기로 돌아가자.

"형님 같은 분이 여자에게서 행복을 찾다니, 아직도 이해가 가지 않습니다."

경이 말했다. 나도 가끔은 이해 가지 않는데, 경이 이해할 수 있을 턱이 없지.

"어째서입니까? 여기 있으면 사무쳐서 여자가 그리워집니까? 저는 그럴 마음조차 들지 않던데요."

"특별한 이유는 없어."

너무 평범한 일이지. 서로를 만나 사랑한다는 것.

"그때 정말로 그 여자 때문에 죽을 생각이셨습니까?"

"그래."

"어떻게 형님 같은 분이 그런……"

경은 더 말을 잇지 못했다.

친모도 내친 내가 한 여자를 사랑한다는 게 너무 파렴치할까?

스스로 수백 번 되물어보았지만, 그렇다고 해서 진실이 바뀌는 것은 아니었다. 나는 이런 인간이고, 이런 인간인 채로 너를 사랑하고 있다.

경이 너무 아팠기에 그곳에 오래 머물 수는 없었다. 바람이 식기 전, 아직 해가 중천일 때 자리에서 일어났다. 그는 나를 따라 일어나려 했지만 곧 주저앉았다.

"그거 아십니까?"

"뭘 말이냐?"

"형님을 죽이지 못한 걸 후회했습니다. 신하들이 그렇게 형님을 죽이라고 간언했는데 제가 미쳤었죠."

그가 웃었다. 아니, 웃으려 했던 것 같다. 웃음이 되지 못한 껙껙거리는 소리가 잠시 흘러나왔다. 앞이 잘 보이지 않는지, 경은 눈을 가늘게 뜨고 나를 올려다보았다.

"그런데 지금은 이렇세……. 죽기 전에 마지막으로 찾아올 사람이 필요할 것 같아 고집스럽게 살려둔 게 아닐까 생각이 듭니다."

바보 같은 소리.

우리는 마지막으로 손을 잡았다.

결코 화해는 아닌 악수였다. 그저 그를 기억해도 좋고, 망각해도 좋다는 허락의 의미라고 제멋대로 생각해버렸다. 그리고 경도 아마 멋대로 그 악수의 의미를 정해버렸을 것이다.

마지막 봄에 찾아올 사람이 원수뿐이라니 그의 삶도 가혹하긴 하지.

내가 이런 말을 한다면 사람들은 자신을 죽이려 했던 사람에게 그런 감상이 드냐며 몸서리치겠지. 하지만 너라면 이런 한심한 감상을 알아줄 거란 믿음이 있다.

경과 헤어지고 곧장 이곳으로 향했다.

비탈을 오르는데 문득 몇 해 전 이곳을 홀로 오르던 때가 떠오르더구나. 후백에서 돌아와 너를 몰래 보러 이 섬으로 왔던 그때 말이야. 나는 네 뒷모습을 따라 이곳까지 왔었지.

당시 나는 너를 만나려고 온 것도 아니었고, 너를 사랑하려고 온 것은 더더욱 아니었다. 나는 그저 멀리서 너를 보고 잃어버린 것들을 찾고 싶었다.

삶에 대한 희망, 작은 것들의 의미, 네가 나에게 처음 쥐여주고 이내 흩어져버린 모든 빛나는 것들.

그때 나는 어쩌면 지금의 경과 비슷했는지도 모른다. 동족의 피를 뒤집어쓴 인간들 사이에서 환멸과 절망만을 걸었지. 또 한 번의 반정은 성공했지만 성공조차 곧 공허함이 되어버렸다.

이 섬에서 네가 나에게 주었던 사소한 온기를 잊었더라면, 아마 나는 경과 똑같은 실수를 또 했을 테다. 누군가를 불신하고, 해치고, 죽이고도 불안에 시달렸겠지. 지저분한 감정들이 속을 들쑤시는 날에는 언제나 너를 떠올렸다.

인간이란 이토록 불쾌한 존재인데, 너는 어쩌면 그렇게 사랑스러울 수 있었을까.

후백에서 돌아와 처음 이 섬을 밟았을 때 가슴이 슬프게 떨렸던 것도 기억났다.

너를 볼 수 있다니.

비록 네가 다른 누군가와 살아가고 있더라도 좋았다.

네 뒷모습만 보아도 좋았다.

그 뒷모습을 이 눈에 새겨 영영 잊지 말자 다짐했다.

그래야 축생들이 날뛰는 한성으로 돌아가서도 길을 잃지 않으리라 생각했다.

너의 뒷모습이 나의 등불이 되고, 나의 이정표가 되어.

너와의 기억이 남아 있는 이 절벽에 도착하니 비로소 숨통이 트였다. 경과 만난 후 내내 갑갑했던 속도 개운해졌다.

절벽에 걸터앉아 일몰을 기다렸다. 아무 생각 없이 파도 소리를 들으며 시간을 보냈지. 내가 가장 좋아하는 장소여서일까, 홀로 가만히 있어도 지루한 줄 모르겠더구나.

너는 매번 이해가지 않는다고 하지만, 나는 이곳이 참 좋아.

죽음과 삶이 너무 가까워서 한 걸음만 내디디면 자신이 소실

되어버릴 것 같은 곳. 피안의 경계. 지상의 끝이자 허공의 시작.

생사의 골짜기가 이곳을 닮지 않았을까.

바로 이곳에서 바다에서 불어온 광풍이 네 옆머리를 넘겨 부드러운 목덜미가 드러났을 때. 그 목덜미에 흐트러진 잔머리와 귓불에 고인 햇살이 나의 시야에 들어왔을 때. 네가 내 외로움이 만든 허깨비가 아닌가 싶어 왈칵 겁이 났을 때.

그때 네가 나의 손을 잡으면 나는 영영 살 것 같았다.

그러니 이곳이야말로 내가 첫 번째로 사랑하는 풍경이자 최후로 기억할 자리겠지.

빛이 온전히 꼬리를 감춘 후에야 집으로 들어왔다. 몇 년 비운 것치고는 청소를 좀 하니 지낼 만하게 되더구나. 마치 누군가 오길 기다린 것처럼 말이야.

밤은 깊고 상념은 많아 뒤척이다 보니 우리가 두고 간 종이와 붓, 먹물 등을 찾아냈다. 하여 네게 이렇게 편지를 쓴단다.

아, 오는 길에 신기한 일이 있었다. 섬으로 오는 배를 타기 전에 항구 마을에 하루를 묵었는데, 그 마을 아이가 네가 만든 인형을 가지고 놀고 있더구나. 어쩌다 여기까지 온 건지 몰라도 몹시 반가워서 나도 모르게 말을 걸었지. 이게 무슨 인형인 줄 아니, 물었더니 제 나름대로 붙인 이야기를 조잘대더구나. 물론 그 이야기는 우리가 인형에 붙여주었던 이야기와는 참 많이 달랐어.

하지만 그게 어쩌면 더 의미가 있을지도 모르겠단 생각이 들었어. 인형은 말이 없으니 무슨 이야기이든 덧씌울 수 있지. 평생을 범람하는 말 속에서 살아왔다만, 그래서일까, 요즘은 부쩍 말 없는 것들이 더 좋아.

네 눈동자, 잠든 아이들의 이마, 고요한 밤하늘, 네 손길이 닿은 인형의 미소 같은 그런 것들 말이다. 말 없는 것들이 때론 더 많은 이야기를 속삭여주지.

며칠간은 섬을 조금 더 둘러보고 갈 생각이라 편지부터 부친다. 너와 아이들에게 살 선물도 사야 하고.

그래, 솔직히 말하자. 경은 얼마 가지 않아 목숨을 거둘 것 같다. 운이 좋아도 봄을 넘기기는 힘들겠지. 피붙이로서 내가 장례라도 치러주고 올라갈 생각이다. 하지만 경을 용서한 것은 아니야. 그가 내게서 왕좌를 뺏은 것도, 그의 모친이 내 모친을 괴롭혔던 것도 다 용서할 수 있어. 하지만 너를 해치려 했던 건 그가 죽더라도 용서할 수 없을 것 같다.

죽음이 모든 것을 묻고, 용서하게 하는 것은 아니더구나.

오늘 알았다. 죽어가는 사람도 미워할 수 있고, 아마 죽은 후로도 미워할 수 있을 거라는 걸. 그 냉랭한 진실을 확인하러 나는 이곳까지 왔는지도 모르겠다. 죽었으니 이제 용서하라는 말은 얼마나 철모르는 말인지.

하지만 장례는 치러줘야겠지. 분명 내가 그에게 잘못한 것이 있는 것도 사실이니까. 단지 그것뿐이니 더 마음 쓰지는 말렴.

섬도 둘러보고 선물도 사겠다는 말이 거짓말은 아니야. 정말로 그렇게 시간을 보낼 생각이니까. 이 섬은 참 변한 게 없어서 우리의 과거 속으로 돌아온 것만 같다.

여기에 너만 있다면 모든 것이 완벽할 텐데.

어쨌거나 그동안은 홀로 이 집에 머물 생각이다. 우리의 추억이 이 공간에 묻어 있잖니. 느긋이 숨을 들이쉬는 것만으로도 내 마음은 행복으로 가득 찬다.

언젠간 이곳에 함께 오자. 당장 이듬해라도 좋겠구나.

너와 저 해안을 걸을 일이 벌써부터 기대가 된다. 아이들도 바다를 본 적이 없으니 좋아할 테지. 한성도 좋지만 한 계절쯤은 이곳에서 보내면 어떨까. 아니, 네가 원한다면 평생 여기서 머물러도 좋아.

내가 한성에 돌아갈 때쯤이면 이미 여름이겠지.

다시 만날 날까지 건강 조심하고. 혹 아이들이 네게 서운하게 하는 것이 있다면 적어놓으렴. 돌아가서 내가 타이를 테니.

상경하는 길은 분명 고되고 지루하겠지. 그 고됨과 지루함은 인생과 꼭 닮았어. 그 길고 긴 여정 끝에 누군가 기다리고 있다는 것. 그게 얼마나 위로가 되는지 모른다.

서신으로조차 작별이 아쉬워 인사가 길어진다. 슬슬 줄여야겠다.

새삼 이 편지가 닿을 곳이 너라서 다행이라는 생각이 든다. 고민과 상념으로 짜낸 내 보잘것없는 문장이 네 시선에 닿으면 비로소 한 의미가 될 테니. 나를 완성시켜주는, 그리고 나라는 껍데기에 의미를 불어넣어주는 것은 늘 너라는 것을 잊지 않았으면 좋겠다.

내가 편지의 앞머리에서 십 년간 모든 것이 다 변했지만 어둠만은 그대로라고 썼니?

변하지 않은 것이 어둠뿐만은 아니구나. 너를 떠올리면 마음속에 아플 정도로 설렘이 차오르는 것도 꼭 십 년 전과 같다. 앞으로도 내내 그렇겠지. 이 설렘 속에서 숨을 쉬노라면 세상 모든 슬픔은 씻겨가고 아름다움만 남는 것 같다.

붓을 든 것은 밤이었는데 네게 인사를 건네는 지금 닭이 울었다.

창을 열어보니 꽃향기가 따사롭다.

새벽이구나.

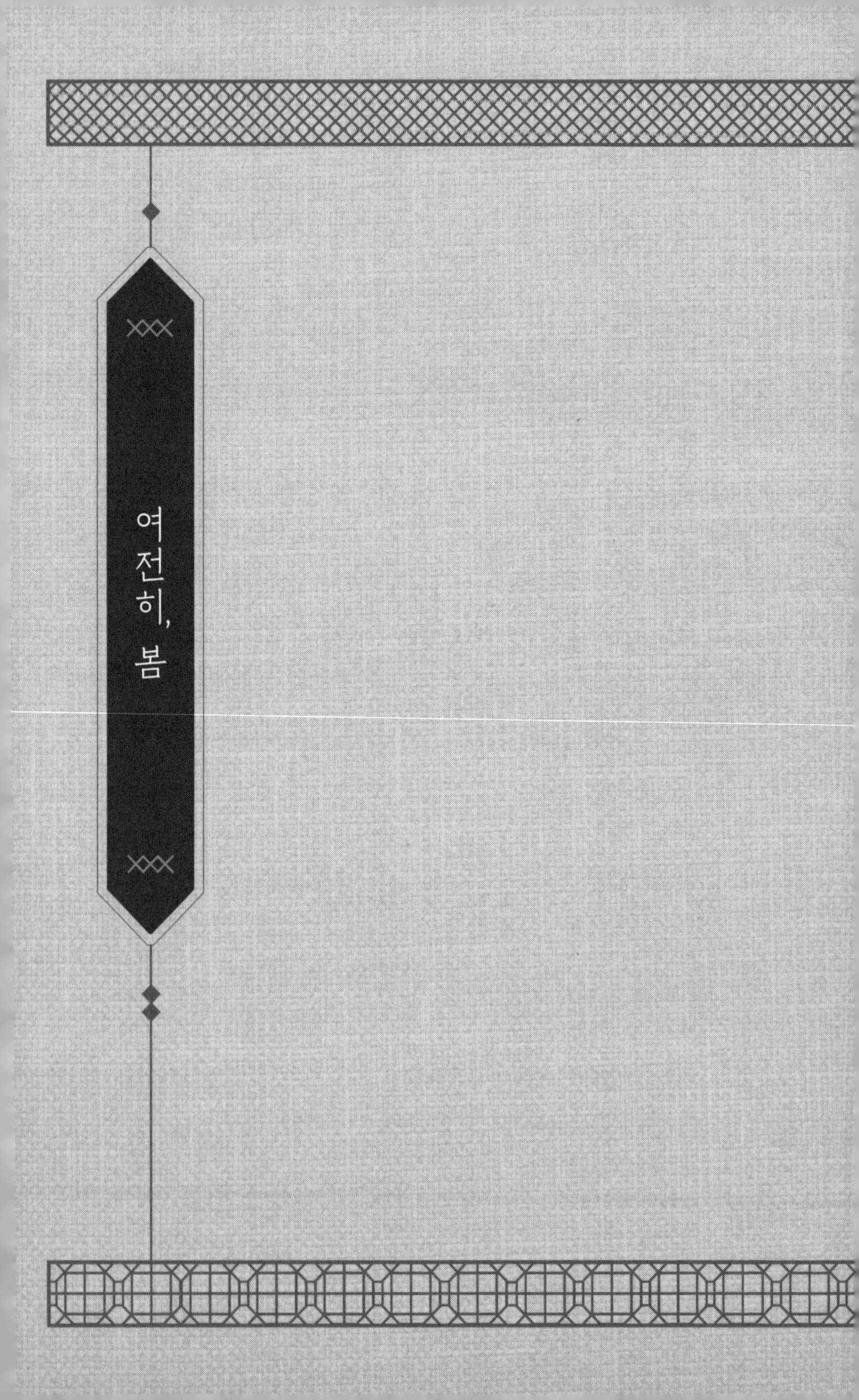

여전히, 봄

돌아오면 더 많은 이야기를 해요.
당신과 만난 지 십 년이 다 되어가지만,
제게 당신은 그 어떤 난해하고 두꺼운 서적보다도
오래오래 읽어야 할 책 같습니다.

보내신 서신이 봄을 싣고 온 모양입니다. 편지가 도착한 다음 날, 마당에는 배꽃이 활짝 피었습니다. 한성 도처에 무르익은 꽃향기가 현란합니다.

신이는 제 동생에게 꽃을 따주겠다며 나무를 타고 올랐다가 손바닥과 무릎이 까졌습니다. 그래도 나무는 정말 잘 타던데요. 몸이 날랜 것을 보니, 몇 해 더 커서 한창 말썽을 피울 나이가 되면 속 꽤나 썩이겠다 싶습니다.

이렇게 당신에게 답장을 쓸 수 있으니, 귀찮은 글자들을 외워둔 것이 새삼 유용하다는 생각이 듭니다. 부끄러운 이야기입니다만, 저는 살면서 누군가에게 편지를 써본 일이 없습니다.

그곳도 많이 변했겠지요. 들꽃의 위치가 바뀌고, 산짐승들이 죽고 태어나고, 어쩌면 나무 몇도 고목이 되었을지도 모르겠습니다. 제가 나고 자란 곳이지만 지금은 당신이 가 계시다는 이유로 더욱 애틋합니다.

아버지는 잘 계시다니 마음이 놓입니다. 아마 기뻐하셨을 거예요.

당신이 부재하신 동안 생각지 못한 손님이 방문했습니다. 후백에서 사신으로 오신 분인데 당신의 벗이라 자신을 소개하셨습니다. 이름도 밝히지 않으시고 그저 친구라면 알 거라고 하시더군요. 그동안 당신이 친우라고 인사시켜준 사람이 단 한 명도 없었다는 사실 아시나요? 신기하고 반가운 마음에 오랫동안 이야기를 나누었습니다. 저와 떨어져 있던 시절 당신의 이야기를 듣는 일은, 재밌으면서도 가슴 아파서, 그날 밤은 쉽게 잠들지 못했어요.

돌아오면 더 많은 이야기를 해요. 당신과 만난 지 십 년이 다 되어가지만, 제게 당신은 그 어떤 난해하고 두꺼운 서적보다도 오래오래 읽어야 할 책 같습니다.

답서가 너무 짧아 서운하시진 않으시겠죠? 혹여나 길게 썼다 실수할까 겁이 나 그럽니다.

제가 서두에 누군가에게 편지를 써본 적이 없다고 했던가요. 실은 그 말은 거짓입니다. 당신도 편지 서두에 하신 말씀을 번복하셨기에 저도 흉내내 보았어요.

사실 저는 당신에게 수없이 많은 편지를 썼습니다.

한 통도 보내지 않았지만요.

당신이 이 세상 사람이 아닌 줄로 알 적엔, 하늘에 닿았으면 해서 밤새 쓴 편지들을 모조리 태워버렸습니다. 당신과 만난 이후로도 몰래 편지를 쓰곤 했지만, 창피해서 역시 모두 태워버렸습니다.

처음으로 편지를 띄운다 생각하니 몹시 가슴이 뛶니다. 이 글을 읽는 당신이 어떤 표정을 지을지 두렵기도 합니다.

하지만 역시 당신이 드디어 제 편지를 읽는다 생각하니 설레는 마음이 크네요.

이런 거였군요. 그리운 누군가에게 서신을 보낸다는 것.

당신은 내내 그리울 테니, 저는 이번 생이 다할 때까지 쉼 없이 당신에게 편지를 쓰겠지요. 열 통 끄적이면 한 통 간신히 내밀어 보겠지만.

좋아요, 우리 다음 봄은 그곳에서 함께 맞도록 하죠. 당신이 좋아하는 곳이 제가 좋아하는 곳이니까요.

그때 파도는 우리를 삼킬 듯 칠 것이고, 철을 넘긴 배꽃이 당신 머리 위로 우르르 쏟아지겠지요.

그러면 저는 또 속으로 당신께 편지 한 통을 쓸 것입니다.

당신은 그곳의 남은 봄을 만끽하고 돌아오세요. 슬픈 일과 괴로운 일이 가득하더라도 봄은 봄이잖아요?

부디 한성까지 오시는 먼 길 무탈하시고요.

저는 이곳에서 떠나려는 봄을 꼭꼭 잡아두고, 당신이 돌아오시면 품에 한아름 안겨드릴게요.

꽃이 져도 영영 지지 않을 당신.

『절벽에 뜬 달 외전』 끝

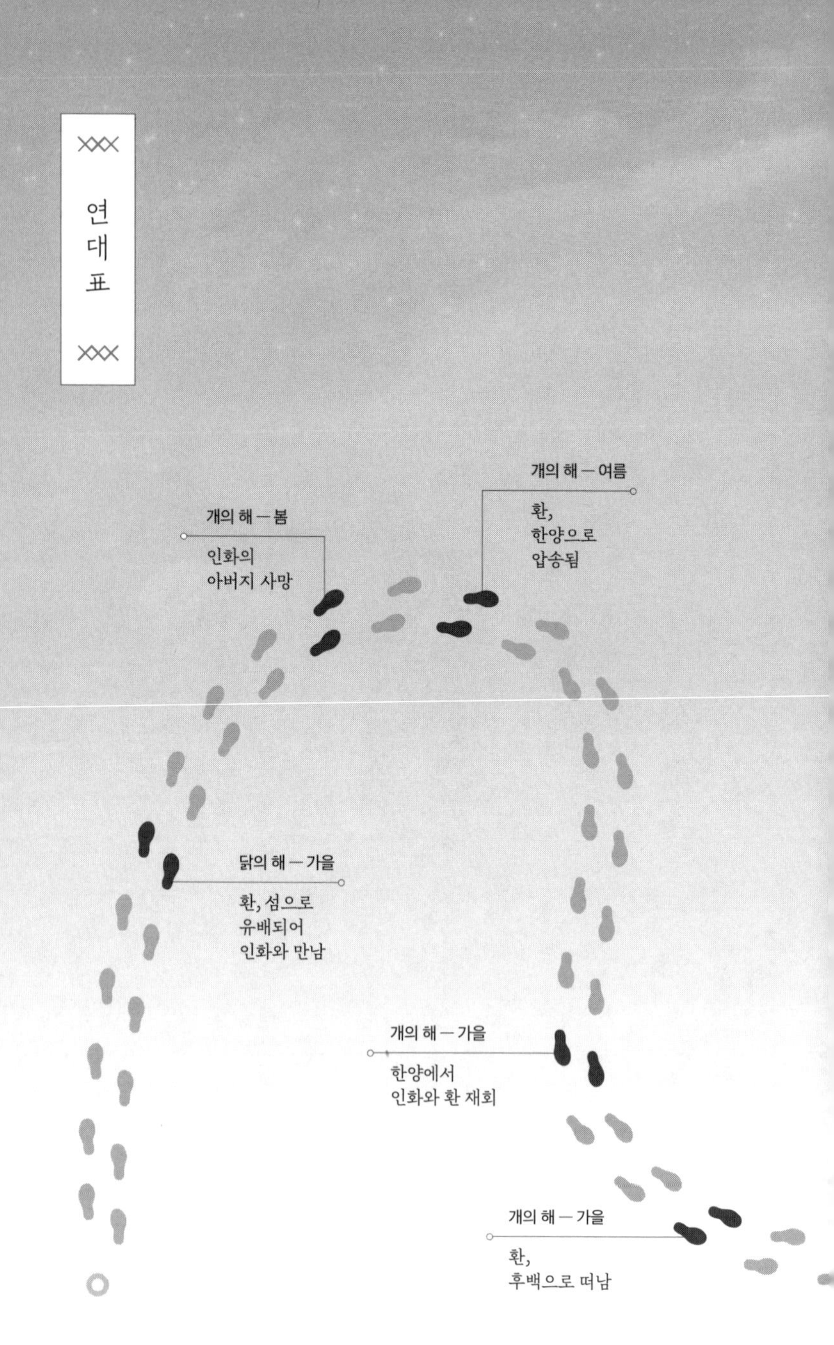
연대표
개의 해 — 봄
인화의
아버지 사망
개의 해 — 여름
환,
한양으로
압송됨
닭의 해 — 가을
환, 섬으로
유배되어
인화와 만남
개의 해 — 가을
한양에서
인화와 환 재회
개의 해 — 가을
환,
후백으로 떠남

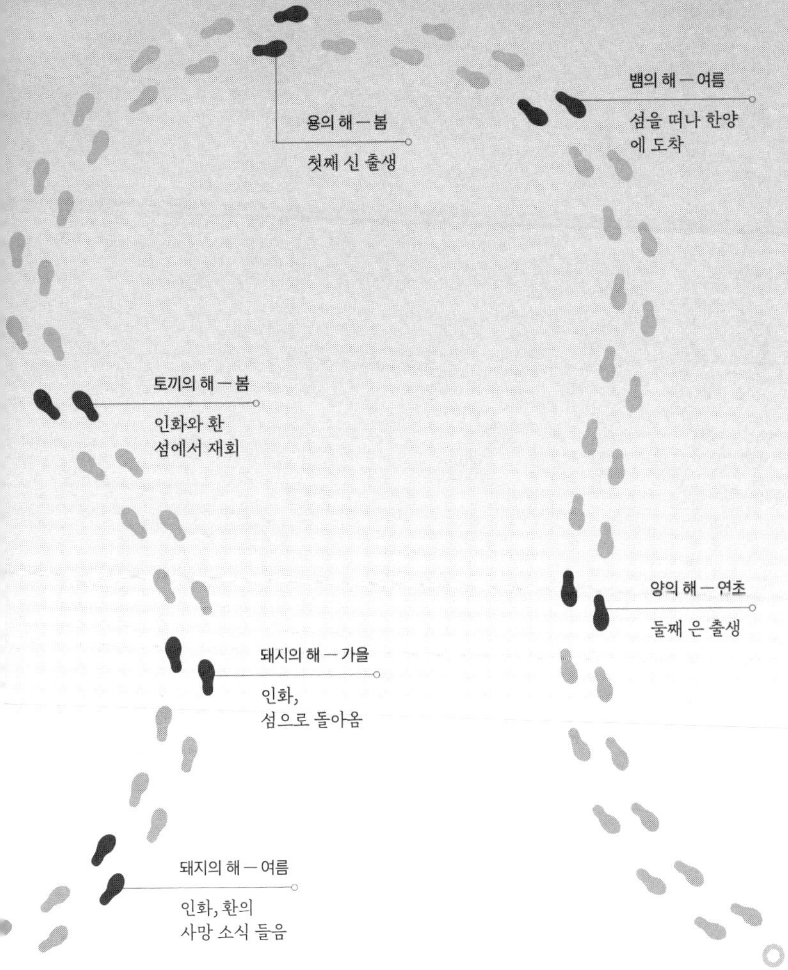

용의 해 — 봄

첫째 신 출생

뱀의 해 — 여름

섬을 떠나 한양
에 도착

토끼의 해 — 봄

인화와 환
섬에서 재회

양의 해 — 여초

둘째 은 출생

돼시의 해 — 가을

인화,
섬으로 돌아옴

돼지의 해 — 여름

인화, 환의
사망 소식 들음

다 말하지 못한 이야기

개의 해, 이월

개구리가 깨어난다는 경칩이다. 이 동네 개구리들은 잠이 없는지 일찌감치 깨어, 경칩 무렵이면 제법들 개골개골댄다. 오늘은 비탈을 오르는 길에 자그마한 어린 개구리 한 마리를 잡았다. 오밀조밀하게 생긴 것이 목청만 컸다.

이것을 환에게 보여줘야겠다는 생각에 신이났다. 개구리 울음소리가 가까이 나면 헛간처럼 쓸쓸한 그 초가에도 한층 봄의 기분이 물씬할 거다.

그런데 내가 내민 개구리를 보고 환은 영 떨떠름한 얼굴이었다. 반가워는 못해도 싫어할 것은 없지 않나 싶어 내심 서운했다.

"귀엽지 않습니까?"

결국 내가 이렇게 옆구리를 찌르는 듯한 말까지 했다. 가여운 것은 혼자 마루 위를 폴짝이고 있었다.

"아, 개구리를 이렇게 가까이 본 건 처음이라서."

환이 미적미적 대답했다. 보아하니 나를 좀 이상한 사람 보듯 하는 눈빛이었다.

그 사이 개구리가 마루에서 뛰어내렸다. 겁도 없었다. 녀석은 마당을 열심히 뛰어다녔다. 우리는 그것이 대단한 구경거리라도 되는 양 한참을 지켜보았다.

마침내 개구리는 대문 앞으로 가 내가 슬쩍 열어둔 문틈으로 쏙 나가버렸다.

그때쯤 환의 입가에 떠올랐던 미소가 사라졌다.

세상에는 개구리는 가지고, 환은 못 가진 것이 있었다.

"나리, 왜 그런 말 있지 않습니까? 개구리는 올챙이 시절을 모른다고."

환이 슬퍼하는 것이 싫어 일부러 엉뚱한 소리를 꺼냈다.

"정말 모를까요?"

그는 내 말이 뭐가 재밌는지 대답은 안 주고 싱긋이 입꼬리만 당겼다.

"모르는 게 행복일 거다."

환은 가끔 이렇게 말할 때가 있다. 깊고 어두운 연못에 돌을 던지듯이. 그가 던진 말이 내 마음 한구석 깊이깊이 가라앉으며 파장을 일으켰다. 그럼 나리는 지금 행복하신가요, 묻고 싶었지만 그런 분에 넘치는 질문을 던질 수는 없었다.

사실 나는 이미 그 답을 알고 있다.

환은 행복하지 않다.

지난 것들을 잊을 수 없기 때문일 거다.

그렇게 생각하자 지금도 방 한구석에서 백치처럼 앉아 있을 아비가 떠올랐다. 지난 것을 다 잊은 그 모습 또한 서럽기는 매한가지였다. 봄은 왔는데 내 코끝엔 아직 겨울이 묻었는지, 냉기가 감도는 것처럼 얼얼하고 시큰했다.

잊는 것과 잊지 못하는 것, 왜 둘 다 서글플 수밖에 없는지 나로서는 영 모를 일이었다.

개의 해, 유월

"인화야, 오늘은 글씨 연습 말고 다른 걸 할까?"

붓을 쥔 환이 대뜸 묻는다.

"뭘 할까요?"

"그림을 그려보자."

그림이라면 나도 어릴 때 모래사장 위에 곧잘 그렸다. 환은 먼저 종이 위에 나무와 꽃과 새 같은 것을 그렸다.

"나리께서는 이런 건 잘 하시는군요."

"말도 마라. 어릴 때부터 지겹게 배웠으니."

말하는 것만 들어보면 그림에는 별로 흥미가 없어 보이는데 왜 하자고 하는지 모르겠다. 그는 곧 붓을 나에게 넘겼다. 나는 생각나는 것이 없어 대강 종이에 먹을 촘촘히 흩뿌렸다.

"뭘 그린 거니?"

"밤하늘이요. 자세히 보면 별들 사이에는 그림이 있습니다. 이런 식으로 연결이 되면서요."

나는 손가락으로 종이 위의 점들을 이었다.

"같은 별들이라도 다르게 이으면 다른 그림이 되지요."

"역시 네가 그린 게 훨씬 좋아."

환은 그림을 책상 위에 조심스럽게 올려두었다.

"그게 뭐라고 그렇게 중히 보관하십니까?"

"네가 없을 때 자세히 봐야지."

"그럼 더 잘 그릴 걸 그랬습니다."

"이만하면 정말 잘 그린 거지."

어디가 잘 그렸다는 건지 도통 모르겠으니 칭찬을 받아도 얼떨떨하기만 하다.

토끼의 해, 오월

아까부터 환은 좌불안석이다. 의금부에서도 국문장에서도 당당하던 환이 이렇게 안절부절못하는 것도 처음이었다.

"여기가 불편하십니까?"

"너는 괜찮니?"

환은 대답은 안 하고 오히려 내게 되물었다. 나는 주위를 휙 둘러보았다.

여기는 우리 마을에 있는 작은 주막이었다. 환은 이 섬에 꽤 머물렀다지만 마을을 돌아본 적이 없었다. 한 번쯤은 사람 사는 곳을 구경시키는 것도 좋겠다 싶어 그를 데리고 나왔다. 마을에 오니 배도 고프고 해서 우선은 주막부터 들어왔는데 이 모양이다.

얕은 가게 담벼락을 따라 사람들이 모여들어 우리를 구경하고 있다. 정확히는 환을 구경하는 거겠지만.

"워낙 시골 마을이라 이렇습니다. 외진 곳이니 좀처럼 낯선 사람이 오는 일이 없어서요. 그냥 나리를 처음 봐서 신기해하는 겁니다."

내 말은 그에게 별로 도움이 되지 않는 듯했다.

"그리고 죄지은 것도 아닌데 무슨 상관입니까? 죄인일 때도 당당하시던 분이."

"그거랑 이건 좀……."

환이 미처 말을 마치기도 전이었다. 멀리서 누군가가 허겁지겁 달려왔다.

"아니, 어떻게……."

중년의 사내가 우리에게 다가왔다. 처음 보는 얼굴이었다. 옷을 보니 지체 높은 양반 같은데 옷매무새가 형편없이 흐트러졌다. 높으신 분들은 좀처럼 난리법석을 피우는 일이 없는 지라, 이런 모습은 생경했다.

"말씀도 안 하시고 오십니까? 안 그래도 이상한 소문을 들어서 설마 했는데……."

남자가 당장 무릎이라도 꿇으려는 것을 환이 손짓으로 만류했다. 하여간 길게도 떠들었지만 요약하자면 이랬다. 이 남자는 얼마 전 이 섬에 새로 온 사또고, 주상 전하의 혈육을 이렇게 아무렇게나 둘 수는 없다는 거였다.

"식사도 이렇게 드시고……."

남자는 한참이나 횡설수설을 하다 갔다.

여기가 뭐 어때서. 동네에서 제일 솜씨 좋은 집인데.

조금 화가 났지만 이 섬에 온지 얼마 안 된 양반이라 모르려니 하고 넘어갔다.

식사를 마치고 우리 집으로 갔다. 환이 돌아온 후, 한동안은 내내 절벽 위 집에서만 지냈다. 사실 그 집이 우리 집보다 훨씬 형편이 나았다. 나도 짐 정리를 위해 들러야 했고, 그도 우리 집에 와보고 싶다 했다.

"별로 손님을 들일 만한 집이 못 됩니다."

"네가 살던 곳이 궁금한 것뿐이야."

내가 방을 정돈하는 동안 환은 좁디좁은 마루에 걸터앉아 마당을 구경했다. 그러다 무언가를 발견했는지,

"인화야."

하고 나를 불렀다. 나가보니 환이 벽 구석을 바라보고 있었다. 그의 시선을 따라가니, 나무 기둥 아래 자잘한 흠집들이 눈에 들어왔다. 처음에는 나도 뭔가 했지만, 곧 옛일이 떠올랐다.

어린 시절 아비가 일을 나가면 나는 혼자 집에 있었다. 별

스러운 일은 아니었다. 어미가 살아 있었다 한들 마찬가지로 일을 나갔을 테니.

"혼자 있다 보니 심심해서 날카로운 돌 같은 걸로 낙서를 하고 놀았지요. 처음에는 모래 바닥에 그렸는데 지워지는 게 서운해서 그랬던 것 같습니다."

그러다 손을 다친 일도 있었다. 일을 다녀온 아비가 손가락에 상처를 보고 놀랐던 것이 기억난다. 그는 나를 데려다 손을 씻기고 어디서 찾아낸 천 조각으로 다친 부위를 돌돌 감았다. 이제 와서 생각하면 생전 그런 거 해본 적이 없던 사람이 참 애썼다 싶었다.

이런 이야기를 하는데 환이 손을 뻗어 내 머리를 부드럽게 쓰다듬었다. 그의 손은 따뜻했다. 그날 내 등을 다독이던 아비의 손이 따스했듯이. 예나 지금이나, 거치나 부드러우나, 사람의 손이란 겨울날 쬐는 화롯불처럼 아늑하구나.

토끼의 해, 유월

농사라고 하기에는 민망하지만, 요즘 환의 여흥은 마당 구석의 텃밭을 돌보는일이다. 일전에 상추씨를 조금 받아둔 것이 있어 가져왔더니 환이 흙을 뒤적여 씨앗을 심었다. 그는 무언가를 길러보는 것이 처음이라 했다. 봄볕 좋은 곳에 씨앗을 심은 것으로 모자라 지극정성으로 상추를 돌봤지만, 대부분 엄지 마디도 넘기지 못하고 죽어버렸다.

"대체 뭐가 잘못된 걸까?"

텃밭을 보며 좌절하는 환을 내가 위로했다.

"원래 뭔가를 키운다는 게 그렇습니다. 품에 두면 빨리 죽고, 손을 대면 시드는 법입니다."

환은 도통 내 말이 이해 가지 않는 눈빛이었다.

"조금 더 쉬운 것부터 해보시면 어떻습니까?"

"이것도 안 되는데 쉬운 걸 한다고 될까."

생각보다 상심이 큰 건지 그는 좀처럼 기운을 내지 못했다. 마침 요리에 쓰고 남은 대파 뿌리가 있어 텃밭에 심었다.

"이건 어지간해선 안 죽습니다."

내가 자신하며 말했지만 환은 반신반의하는 듯 했다. 아무튼 그의 불신과 상관없이 대파는 잡초처럼 무럭무럭 자랐고, 환의 입가에도 미소가 돌아왔다.

자신감을 되찾은 그가 또 다른 작물들을 심어봤지만 모조리 실패했다. 결국 우리 집 텃밭에는 대파들만 덩그러니 남았다.

"안 되는 일을 붙잡고 있는 것보단, 이젠 조금 편하고 싶어서 말이야."

환은 그것으로도 만족스러운 모양이었다. 아무렴 그가 좋다면 됐다. 심은 것이 파면 어떻고 잡초면 또 어떨까.

뱀의 해, 유월

한성에 온 지도 며칠이 지났다. 여독도 풀렸고, 슬슬 몸이 근질거릴 때가 됐다. 섬에 있을 때는 아이를 돌보는 것이 우리 둘 뿐이라 매일이 정신없었는데, 이곳에선 도와주는 손들이 많아 한결 편해졌다. 신이도 이 집 사람들과 금방 친해져서 이젠 낯가림도 없다.

아이가 낮잠을 자는 사이 외출할 채비를 했다.

"어디 가려고?"

환이 물었다.

"요 앞 천변의 가게에 가서 붓을 좀 살까 해서요. 짐에 넣어 오는 사이 붓이 다 상했지 뭡니까."

다른 물건은 남에게 적당히 부탁해도 되지만, 붓 같은 것은 내가 직접 보고 고르는 것이 낫다.

"그럼 나도 같이 가자."

환이 자리에서 일어났다.

둘만 놀러 나온 것은 무척 오랜만인 것 같은 기분이 들었다.

가게에는 온갖 붓을 전시해두었다. 꼼꼼히 살펴보고 족제비 털로 된 붓을 하나 샀다. 몸통은 대나무인데 어두운 윤택이 났다. 상인에게 값을 물어보니 아니나 다를까 값이 적지 않았다.

환이 곧바로 돈을 내려는 걸 내가 얼른 막았다. 참, 이런 손님들만 왔다면 나도 시전에서 일할 때 한결 편했을 거다. 결국 내가 상인과 흥정을 해서 그럭저럭 괜찮은 값에 살 수 있었다.

"나리, 그렇게 바로 값을 치르려고 하시면 어떡합니까? 흥정을 하셔야지."

돌아오는 길에 내가 타박하니 환은 민망한지 살짝 눈웃음을 지었다.

"무엇을 사러 가실 때면 꼭 저를 데려가십시오. 원래 시전에서는 부르는 대로 값을 내는 게 아닙니다."

"그래, 그러마."

환이 선뜻 대답했다. 이렇게 못 미더워서야. 이 남자에겐 어쩔 수 없이 내가 필요할 것 같다.

뱀의 해, 칠월

한성에 온 이후로 안유군을 제외하고는 환의 일가를 만나 본 적이 없다. 안유군도 사실 너무 바빠 얼굴 한 번 본 게 전부다. 왕실에 여러 복잡한 모임도 있는 모양이지만 우린 그냥 우리로만 산다.

사실 그러면 안 되는 거 아닌가 싶은데, 환이 태연하니 내가 나서서 걱정하고 싶진 않다.

그건 안유군이 우리에게 절대적으로 너그러운 덕분이기도 하다. 자세히는 몰라도 환의 말로는 여러 가지 편의를 봐주고 있다고 했다. 하기야 제가 나를 속인 것이 있는데 쥐 털끝만 한 양심이라도 있으면 너그러워야지. 내심 그렇게 생각했지만 삼켰다.

오늘은 환과 식사를 하다 안유군에 대한 이야기가 나왔다.

"나리랑 띠동갑이라고요? 뭐, 저보다 어릴 거 같긴 했습니다."

"기분 상했니?"

"설마 그렇기야 하겠습니까? 그분이 저한테 하대하시는 거야 당연하죠."

나는 안유군과 처음 만났던 날을 잠시 떠올려보았다. 어쨌거나 그 사람도 왕자인데 나 같이 어디서 온 지도 모를 것한테 그만하면 곱게 대해줬다 싶었다.

"친절하신 편이었던 것 같습니다, 오히려."

"그애가 우리 일가에서 제일 착하대도."

"그건 아닌 거 같고요."

단호하게 고개를 저었다. 그런데 말을 듣고 보니 환의 다른 형제들이 조금 궁금해졌다.

"그런데 다른 형제들은……."

"대부분 죽었지."

그는 더는 설명하지 않았다. 어떤 일들로 인해 죽게 되었는지, 그런 설명은 없었다. 그의 마음 속에 그 일들이 너무도 무거운 짐으로 남아 있기 때문일지도 모른다. 나도 굳이 그 피비린내 나는 이야기를 청하고 싶지는 않아 농담조로 이야기를 틀었다.

"하여간 그분은 대체 어떻게 왕이 된 거랍니까? 알 수가 없네."

환은 대답 대신 작게 소리 내어 웃기만 했다.

오래 전 닭의 해, 구월

아이의 이름은 결이라고 했다. 부왕이 직접 내린 이름이었다. 이름만 툭 던져주고 부왕은 단 한 번도 그 아이를 궁으로 부른 일이 없었다. 어미의 신분이 그러하니 어쩔 수 없는 일이라 했다. 차라리 어딘가의 노비였으면 나았을 것을. 천민이라 해서 다 같은 천민이 아니었다. 도저히 왕실에서 감내할 수 없는 그런 피도 있는 법이었다.

그런데도 부왕은 무슨 변덕인지 서른다섯 번째 생일에 그 아이를 궁으로 불렀다.

환의 나이 열여덟 때의 일이었다.

결은 혼자 궁으로 온다고 했다. 그 어미는 궁에 발을 디딜 수 없다고 했다. 그나마 결의 반쪽은 부왕에게서 나온 것이니, 아이의 입궁까지 무산되지는 않았다.

결은 여섯 살이었다. 궁에서는 아무도 그 아이를 반기지 않았다. 부왕이 자신의 치부인 그 아이를 불러 죽여버릴 거라는 은밀한 소문마저 돌았다.

환은 그 아이를 자신이 마중 나가볼까 하는 생각도 했다. 동정심이 아니라 호기심이었다. 하지만 곧 관두었다. 그는 세

자. 머지않아 다음 왕이 될 사람이었다.

부왕의 건강은 그리 좋지 않다. 모두 쉬쉬하고 있지만, 환은 부친의 여생이 고작해야 삼사 년 안에 끝장나리라 예감 하고 있었다. 불경하지만 차라리 그 편이 이 궁에 평화를 가져오리란 생각도 했다.

그것은 무엇을 해도 제 아비보단 자신이 나으리란 십대의 치기이기도 했고, 어느 정도 근거를 가진 확신이기도 했다. 적어도 다음 권좌를 둘러싸고 공공연히 벌어지고 있는 암투만큼은 잦아들 테니.

하지만 아직은 아니었다. 아직은 암흑의 시기였다. 이 시기를 무사히 지나 그가 왕좌에 앉으려면, 지금은 걸음 하나하나도 계산해서 옮겨야 했다. 가벼운 마음으로 어린 동생을 마중나가도 될 처지가 아니란 의미였다.

기껏 궁까지 불러놓고, 그날 연회 내내 부왕은 결에게 눈길도 주지 않았다. 멀찍이 앉혀두고 아예 그 존재를 잊은 듯했다. 어쩌면 정말 자신이 불렀다는 사실조차 그의 머릿속엔 없는지도 모른다.

아마 죽이실 생각은 없나 보다.

환은 그렇게 짐작했다. 죽일 생각이었다면 오히려 가까이 불러 예뻐했을 테지. 그게 그의 부친이 즐겨 사용하는 방법이었다. 그럼 질투와 불안에 휩싸인 누군가가 자신 대신 손을 더럽혀주곤 했으니 말이다.

그런 생각을 한 것이 환 혼자만은 아니었다. 그의 이복동생인 경 역시 같은 생각을 했다.

저걸 죽이실 생각은 없는 거군.

경의 생각은 거기서 끝나지 않았다.

그럼 내가 없애버려도 되지 않나.

왕실의 치부. 어차피 사나 죽으나 별반 상관없는 어린애. 외가는 한미하다 못해 수치스러울 지경이고 부왕의 사랑 역시 한 톨 받고 있지 않으니 죽인다 한들 후환은 없으리라. 저것이 나이를 먹은 후 자랑이랍시고 제 출생을 떠들고 다닐 바에는 그 편이 낫다.

경은 아이에게서 시선을 거두고 조용히 술잔을 들었다. 어차피 생일 연회는 앞으로 이틀간 더 이어진다. 그때까진 저것도 이 궁 안에 머무를 테니 조금 더 지켜봐도 좋을 터였다.

이변은 그날 밤 일어났다. 결은 방에서 목을 맸다. 온 궁이 뒤집혔다. 환은 그 소식을 듣고 곧바로 아이를 찾아갔다. 그가 도착했을 땐 의원이 막 진맥을 마친 참이었다. 늦지 않아 다행이라 했다.

막 깨어난 결이 환을 올려다보았다. 아이와 눈이 마주치는 순간 간신히 꺼트려두었던 호기심에 다시 불이 일었다.

"수고했네. 잠깐 이야기를 나누고 싶으니 나가보게."

환은 아이를 내보낸 후 곁에 앉았다.

"너 왜 그랬니?"

여섯 살 난 것이 스스로 목숨을 끊을 정도면 보통 독한 것이 아니다. 그런데 예상과 달리 아이의 눈에는 독기가 없었다. 그저 대답하고 싶지 않다는 듯 고개를 저었다.

"왜 여기서 그랬어?"

환 역시 이곳이 가끔은 너무도 미웠다. 그래도 스스로 목숨을 끊으려 한 적은 없었다. 오히려 그는 살아남으려 했다. 이 지저분한 세계에서 살아남는 것이 그의 사명이라 생각해왔다.

그 길외에 다른 길도 없었던 것이다. 처음부터 피할 수 없던 전쟁. 그러나 눈앞의 아이는 그와는 사정이 달랐다.

적어도 넌 며칠 후면 이곳을 떠날 수 있잖아.

그런 이기적인 말이 혀끝을 맴돌았다.

"왜 여기서 죽으려 했어?"

그가 다시 물었다.

"모르셔도 됩니다."

어른스럽고 공손한 말투에 환은 헛웃음이 나왔다. 나중에 안 것이지만 그건 결이 나름대로 하루 동안 궁 생활을 하며 들은 것을 따라 흉내낸 것이었다.

말투야 양호했지만 내용은 영 건방졌다.

"몰라도 된다?"

"모르는 편이 나으니까."

결이 혼잣말처럼 중얼거렸다. 환은 이 아이의 사연이 궁금해졌다. 그는 밖에서 그를 기다리는 사람들에게 시간이 걸릴 듯 하니 다과를 가져다 달라 했다. 곧 간단한 다과상이 들어왔다. 아이는 과자를 잘 먹었다. 아무리 봐도 방금까지 죽으려던 사람 같지 않았다.

"너 밖에선 어떻게 지냈니?"

환이 물었다. 먹을 걸 준 다음이어서인지 결은 아까와 달리 입을 곧장 열었다.

"엄마랑 할머니랑 지내는데요."

"더 자세히 이야기해봐."

"왜요?"

혹시 밖의 생활에 문제가 있는 게 아닐까 하는 짐작에서였다. 하지만 환은 솔직하게 대답하는 대신 미소를 띠고 말했다.

"내가 네 형이니까."

"아……."

결이 눈을 동그랗게 떴다.

아무리 어린애라도 이런 말에 넘어올 리가 없지. 말만 혈육이지 생판 남 아닌가.

그렇게 생각하는데 결은 생글거리며 밖의 생활을 미주알

고주알 늘어놓기 시작했다. 결국 환은 아이가 잠들 때까지 이야기를 들어주었다. 평소 생활을 들어보니 생각보다 걱정스러운 정황은 없었다. 오히려 아주 평범한 것 같았다.

아무리 들어봐도 아이가 죽을 이유가 없었다. 이해할 수 없으니 마음이 쓰였다.

적어도 이 아이를 무사히 돌려보내야겠다.

환은 아이의 어깨에 이불을 덮어주며 생각했다.

"다시는 이런 일 벌이지 마라."

아이는 대답 대신 눈만 깜빡이다 잠이 들었다.

"어제 저하께서 그걸 친히 찾아가셨다면서요?"

경이 물었다. '그거'는 필시 결을 가리키는 걸 테다. 그는 한껏 못마땅한 눈빛이었다.

"괜찮아 보이더구나."

경이 그 애를 걱정해서 한 말이 아님은 잘 알았다. 환은 그 사실을 모르는 척 태연히 대답했다.

"귀신이 씐 겁니다. 그러지 않고서야."

"그렇게 보이지도 않던데."

환은 가볍게 대꾸했다.

"내년이면 전하께서 그걸 군에 책봉하실 거랍니다."

"그건 당연한 일이지."

"당연한 일이라고요."

어째서인지 경은 환의 대답에 모욕을 당했다고 느낀 것 같았다.

환 역시 기분이 개운하지는 않았다. 어제 그는 결국 결이 목을 맨 까닭을 듣지 못했다. 그로서는 이 일이 더 퍼지지 않도록 입단속을 하는 것이 최선이었다. 그런데도 이미 경은 어디서 이야기를 듣고 와서 빈정대고 있었다. 손 틈 사이로 물이 새는 것은 막을 수 있어도, 사람들 사이로 말이 새는 건 완전히 틀어막을 수 없었던 것이다.

다음 날 결은 무사히 집으로 돌아갔지만 그의 혹독한 운명까지 마무리된 것은 아니었다.

이듬 해 봄, 결은 예정대로 군에 책봉되었다. 안유군이라는 이름을 받게 된 결은 그 뒤로 드물게 왕실 행사에 초대 받았고, 그때마다 환에게 와서 알은체를 했다. 말은 왕자라지만 궁에 아는 이 하나 없는 결에게 그나마 낯익은 사람이 세자뿐이었던 것이다. 그걸 모른 체할 수도 없어 환은 지나가듯 일상을 묻곤 했고, 결은 묻지도 않은 이야기들까지 열심히 재잘거렸다.

"……뭐, 그래서 그냥 넘어갔습니다."

"넘어갔다고? 네가 당한 만큼 갚아주지 않고?"

"갚아줘서 뭐해요. 돈도 아닌걸."

결이 시큰둥하게 반응했다.

기묘한 아이다. 나랑은 전혀 닮지 않은 동생. 장차 이 애를 어떻게 해야 할까.

환은 웃으며 속으로 생각했다. 웃음 속에 복잡한 심경을 숨겨둔 환도, 아무 생각 없이 떠들고 있는 결도, 형제의 운명이 어떤 식으로 뒤바뀔 지는 전혀 알지 못했다.

양의 해, 일월

갓난아이의 울음소리가 울렸다. 안도감과 피로감 속에서 눈을 감았다. 산파가 딸아이라 속삭여주었다. 눈이 많이 오던 일월이었다.

환은 아이의 이름을 은誾이라고 붙였다. 온화하다는 의미의 은. 겨울에 태어난 아이에게 꼭 맞는 이름이었다.

"말소리가 부드러워 듣기 좋은 것 같습니다."

아이를 안아들었다. 꼭 제 이름처럼 살결이 보드라운 아이였다. 신이가 와서 어린 동생을 신기한 듯 기웃거렸다.

이마에 아기의 체온처럼 뜨거운 환의 입술이 닿았다.

올해는 겨울밤도 춥지 않았다.

양의 해, 십이월

간밤에 폭설이더니, 마당에 희게 눈이 덮였다. 신이는 동생에게 눈 구경을 시켜주겠다며, 갓 걸음마 뗀 아이를 데리고 마당으로 나갔다. 문을 활짝 열어 마당을 보니 눈 위로 자그마한 두 발자국이 나란히 찍혀 있었다.

왜일까, 눈가가 시큰했다.

잠시 후 아이 둘이 콧등이 빨개져 돌아왔다. 신이는 지치지도 않는지 이번에는 눈사람을 만들고 싶다고 졸랐다. 환이 나가 함께 눈사람을 만들었다. 나는 어린 것을 품에 안고 그 모습을 지켜보았다.

신이가 완성된 눈사람 주위를 기웃대더니 내가 잘 볼 수 있는 방향에 크게 웃는 입을 그렸다. 아이는 여기 보라는 듯 나를 향해 돌아서 양팔을 위로 저었다. 환도 이쪽을 돌아보며 내게 손을 흔들었다.

어느덧 노을이 내리고, 아이들은 지쳤는지 일찍 잠이 들었다. 아침만 새하얀 도화지 같던 마당은 네 사람의 발자국이 이리저리 찍혀 있었다. 나는 마루에 앉아 눈사람과 마주 미소지었다. 환은 내 옆에 앉아 차게 식은 손을 덮었다. 나는 어린

아이처럼 그의 품을 파고들어 기댔다.

겨울마다 깨닫는다. 세상에 당신의 온기보다 따뜻한 것은 없다.

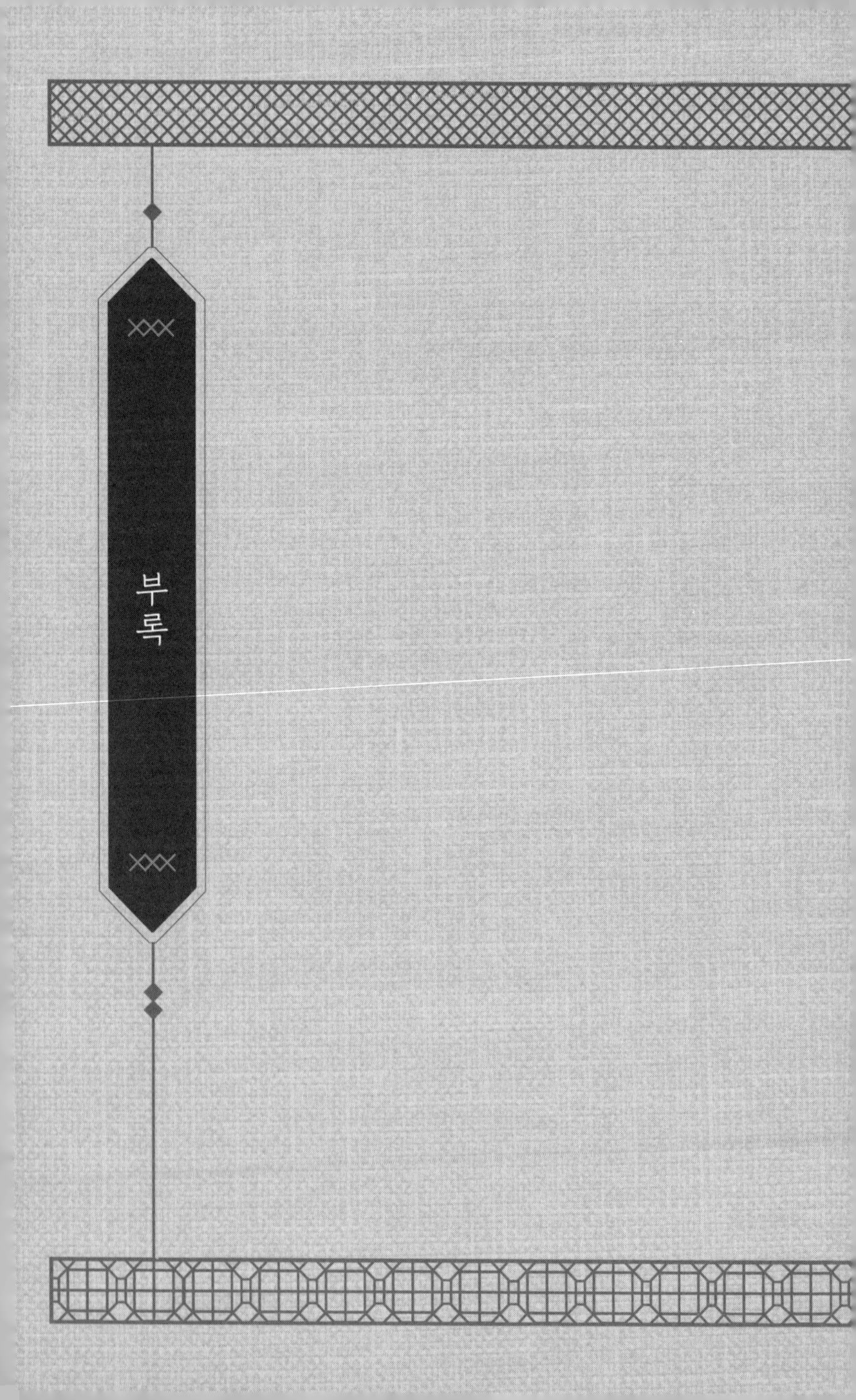

부록

프로필

환

· **나이**	(본편 시작 기준) 30세
· **키**	180cm 내외
· **가족 관계**	(본편 시작 기준) 아버지, 어머니, 이복동생들. 부친과 모친은 사망하고, 남동생들 중 살아남은 것은 세 사람
· **잘 하는 일**	검술, 그림, 글쓰기, 승마 등, 어릴 때부터 궁에서 배운 모든 것
· **잘 못하는 일**	식물 키우기, 손으로 뭔가를 만드는 일
· **좋아하는 일**	식물 키우기
· **좋아하는 음식**	고급 차, 비싼 술, 최근에는 귤
· **싫어하는 음식**	삭힌 음식
· **좋아하는 계절**	봄
· **가장 괴로웠던 기억**	모친을 유폐시켰던 때
· **갖고 싶은 것**	마음의 평화
· **첫눈이 오면 하고 싶은 일**	인화와 나가서 눈사람을 만들고 싶다
· **생일**	음력 5월 28일
· **기타 사항**	원래 왼손잡이였으나 어릴 때 오른손을 쓰도록 교정 받음

인화

· **나이**	(본편 시작 기준) 20세
· **키**	160cm 내외
· **가족 관계**	아버지, 어머니. 어머니는 동생을 사산하고 사망
· **잘 하는 일**	손으로 만드는 것은 거의 다
· **잘 못하는 일**	예의 차리기
· **좋아하는 일**	아무 것도 안 하고 쉬기
· **좋아하는 음식**	해산물은 무엇이든
· **싫어하는 음식**	없음
· **좋아하는 계절**	가을
· **가장 괴로웠던 기억**	흉년이 들어 수개월 간 제대로 끼니를 잇지 못했던 시절
· **갖고 싶은 것**	과일나무와 작은 논밭
· **첫눈이 오면 하고 싶은 일**	환과 따뜻한 아랫목에 앉아 화로에 밤을 구워먹고 싶다
· **생일**	음력 3월 7일
· **기타 사항**	어릴 때부터 생계를 부양해서 생활력과 생존력이 뛰어남

기념일을 잘 챙기는 사람

환 ☑ 인화 ☐

정작 뭘 해줄지 고민하느라 당일까지 결정을 못 하는 편

잘 웃는 사람

환 ☑ 인화 ☐

둘이 있을 때 한정

충동구매 많이 하는 사람

환 ☑ 인화 ☐

대부분 인화가 말리거나 혼내는 편

거짓말 잘하는 사람

환 ☑ 인화 ☐

인화가 잘 속는 편이기도 함

배고픈 걸 못 참는 사람

환 ☐ 인화 ☑

잘 삐지는 사람

환 ☐ 인화 ☑

본인은 인정하지 않음

돈 관리하는 사람

환 ☐ 인화 ☑

상대의 눈물에 약한 사람

환 ☑ 인화 ☐

상대를 귀여워하는 사람

환 ☑ 인화 ☐

졸린 걸 못 참는 사람

환 ☐ 인화 ☑

화가 더 빨리 풀리는 사람

환 ☐ 인화 ☑

사소한 일은 쉽게 까먹어서
상대를 황당하게 하는 타입

기억력이 좋은 사람

환 ☑ 인화 ☐

자잘한 약속도 기억하는 편

더위를 많이 타는 사람

환 ☐ 인화 ☑

환이 더위를 사갔을 때
진심으로 기뻤다

동물에게 인기 많은 사람

환 ☑ 인화 ☐

본인은 난처해하는 편

이성에게 더 인기 많은 사람

환 ☑ 인화 ☐

정에 약한 사람

환 ☐ 인화 ☑

내색하는 일은 없지만
인정에 약하다

상대의 얼굴을 좋아하는 사람

환 ☐ 인화 ☑

추위를 많이 타는 사람

환 ☑ 인화 ☐

아이들에게 인기 많은 사람

환 ☐ 인화 ☑

본인은 귀찮아하는 편

작가 후기

사실 이 작품은 꽤 오래전에 소재를 골라둔 작품이었습니다. 아마 2013년경이었을 것 같네요. 친구가 "폐위되어서 유배 간 왕은 기록이 없다는데, 유배 이후 이야기도 재밌지 않을까" 하고 추천해준 게 시작점이었어요.

그때 그 이야기를 듣고 '폐위된 왕이 유배 간 섬에서 여자를 만나는데, 그 여자 이름은 호랑이 인에 아름다울 화, 인화였으면 좋겠다'라고 생각했어요. 신기하게도 이름이 가장 먼저 생각났네요. 하지만 그 이외에는 떠오르는 게 없어서 그냥 연습장 한 귀퉁이에 아이디어를 적어두기만 했습니다.

그러다 시간이 많이 흘러, 2018년 초에 짧게 단편을 쓸 일이 생겼습니다. 당시에 함께 글 쓰는 친구들이 네 명 있었는데, 각자 단편을 하나씩 써서 단편집을 내자고 제안했거든요. 그때 저는 아직 데뷔 전이었고, 심지어 첫 작품을 조아라에 연재하기도 전이어서, 당연히 거절할 이유가 없는 아주 좋은 제안이었습니다.

그래서 제안을 들은 그날 어쩐지 '인화 이야기로 쓰자'라고 마음먹고, 곧바로 『절벽에 뜬 달』을 썼어요. 그때는 2만 자짜리 단편이었습니다.

그런데 저 말고는 아무도 단편을 쓰지 않는 바람에, 단편집을 내자는 계획은 무산되고 말았습니다(딱히 원망해서 이런 말을 쓰는 건 아닙니다).

그러다 2019년 초에 첫 작품 연재가 끝났습니다. 이런 말을 써도 될지 모르겠는데, 그때 저는 굉장히 빈곤했습니다. 시간은 애매하고 비고 통장은 텅텅 빈 상황에서 뭐라도 써야겠다는 생각이 들었습니다.

함께 단편집을 내기로 했던 친구들에게만 이 글의 프로토타입을 보여줬었는데요(정말 단편집을 낼 줄 알았거든요). 그중 한 명이 이 글을 발전시켜서 짧은 단권으로 투고해보라 권해준 적이 있었습니다.

그 말이 기억나서 2만 자짜리 원고를 가지고 다시 이야기를 만들기 시작했습니다. 당연한 이야기지만 처음부터 잘 되는 일은 없거든요. (예상대로) 투고를 몇 군데 떨어지긴 했지만, (예상 외로) 굉장히 좋은 편집자님을 만나서, 이런저런 복잡한 과정을 거쳐 출간될 수 있었습니다.

살면서 운이 좋아본 적이 별로 없었는데, 『절벽에 뜬 달』에 관해서는 운이 참 좋았다고 생각합니다. 생각지도 못하게 종이책을 정식 출간까지 할 수 있게 됐고요. 그런데 생각해보면 어설픈 글로 출간의 기회를 갖는 것도, 작가 생활을 이어가는 것도, 그래서 계속해서 독자분들과 만날 수 있는 것도, 제게는 모두 큰 행운인 것 같습니다. 어린 시절 저를 만날 수 있다면 "너 미래엔 꽤 괜찮으니, 좀 더 기운 내서 살아봐"라고 말해주고 싶을 정도로요.

제게 수많은 행운을 선물해주신 모든 독자님들께 진심으로 감사드립니다.

음, 뭔가 실속 없는 작가 후기였네요. 이런 글까지 읽어주셔서 정말 감사합니다.

2021년 2월,

현민예

절벽에 뜬 달 下

초판 1쇄 발행 2021년 2월 18일
지은이 현민예

펴낸이 민혜영
펴낸곳 (주)카시오페아 출판사
주소 서울시 마포구 월드컵로14길 56, 2층
전화 02-303-5580 | **팩스** 02-2179-8768
블로그 blog.naver.com/cassiopeia_romance
이메일 romance@cassiopeiabook.com | **공식 트위터** twitter.com/Rmoon_book
출판등록 2012년 12월 27일 제2014-000277호
책임편집 위유나
편집 위유나, 최유진, 진다영 | **디자인** 고광표, 최예슬 | **마케팅** 허경아, 김철, 홍수연

ISBN 979-11-90776-44-8
979-11-90776-42-4 (세트)

R&moon은 (주)카시오페아 출판사의 로맨스·로맨스판타지 레이블입니다.